Comprendre la
névrose
et aider les
névrosés

Couverture
- Maquette:
  GAÉTAN FORCILLO

Maquette intérieure
- Conception graphique:
  JEAN-GUY FOURNIER

DISTRIBUTEURS EXCLUSIFS:

- Pour le Canada:
  AGENCE DE DISTRIBUTION POPULAIRE INC.*
  955, rue Amherst, Montréal H2L 3K4 (tél.: 514-523-1182)
  *Filiale de Sogides Ltée

- Pour la France et l'Afrique:
  INTER-FORUM
  13, rue de la Glacière, 75013 Paris (tél.: 570-1180)

- Pour la Belgique, la Suisse, le Portugal, les pays de l'Est:
  S.A. VANDER
  Avenue des Volontaires 321, 1150 Bruxelles (tél.: 02-762-0662)

Albert Ellis

Comprendre la névrose et aider les névrosés

Traduit et préfacé par
LUCIEN AUGER

Centre interdisciplinaire de Montréal Inc.

5055, avenue Gatineau Montréal H3V 1E4 (514) 735-6595

Les Éditions de l'Homme*

CANADA: 955, rue Amherst, Montréal H2L 3K4

*Division de Sogides Ltée

Préface
par Lucien Auger, Ph.D.

C'est avec beaucoup de plaisir que je présente aux lecteurs de langue française ce livre qu'Albert Ellis publiait originalement en 1957 et dont il faisait paraître une édition considérablement remaniée en 1975. La présente traduction a été élaborée à partir de cette dernière édition.

Albert Ellis commence graduellement à être mieux connu dans notre milieu et je puis dire sans fausse modestie que cela est sans doute un peu dû à mes propres travaux. En 1974, je publiais *S'aider soi-même* qui s'inspire étroitement des théories émotivo-rationnelles telles qu'exposées par Ellis depuis au moins 1954. Suivirent ensuite *Vaincre ses peurs* (1977), *L'Amour de l'exigence à la préférence* (1979) et *Vivre avec sa tête ou avec son coeur* (1979). J'ai eu aussi l'occasion d'exposer la méthode émotivo-rationnelle en de nombreux cours, séminaires, conférences et sessions. En 1977 naissaient les *Ateliers de développement émotivo-rationnel* (ADER). Ces ateliers constituent une tentative de mettre plus largement à la disposition de notre population les principes et les pratiques de l'orientation émotivo-rationnelle. Le temps me semblait venu de présenter en traduction une oeuvre de l'initiateur lui-même de cette méthode.

Albert Ellis écrit abondamment. Sa bibliographie la plus récente ne compte pas moins de 26 volumes et un nombre encore beaucoup plus considérable d'articles. Bien sûr, dans une production aussi abondante, on trouve du réussi et du moins heureux mais on ne trouve que bien rarement du banal. Ellis est un thérapeute chevronné. Il pratique la psychothérapie depuis plus de quarante ans et le contact presque quotidien avec une clientèle très variée donne à ses écrits un caractère de réalisme et de vécu qui n'est que trop souvent absent de ceux de théoriciens plus éloignés du contact immédiat avec la réalité quotidienne de la névrose. A la lecture de ses livres, on voit tout de suite qu'on est en présence d'un professionnel qui connaît ce dont il parle pour l'avoir lui-même expérimenté largement.

De plus, Albert Ellis manie adroitement la langue. Ses expressions sont la plupart du temps claires et nettes et on ne trouve pas dans ses écrits d'exposés fumeux ni d'explications alambiquées. Sa clarté et son souci de netteté l'amènent parfois à employer des expressions que certains pourraient sans doute trouver inutilement brutales ou même ordurières. Cependant, celui qui a une expérience directe de la thérapie ne s'en étonnera guère, sachant que l'éradication d'une névrose ancrée et tenace se compare plus justement au décrottage d'une écurie qu'à la culture des géraniums!

La pensée d'Ellis se caractérise par sa rigueur et sa netteté. Il fait preuve d'un souci constant de ne rien affirmer qu'il ne puisse en même temps démontrer et n'avance rien qu'il n'appuie aussitôt par une série parfois très longue d'arguments. Son sens critique est des plus éveillé et c'est sans pitié et presque férocement qu'il dégonfle bon nombre d'idées reçues et de préjugés répandus. Toute rigoureuse qu'elle soit, sa pensée ne tombe cependant pas dans l'excès qui le conduirait à mener de vaines batailles de mots ou à couper les cheveux en quatre. Ses arguments peuvent être inattendus et ses distinctions subtiles, mais il ne s'agit jamais de verbiage. Cette caractéristique distingue Ellis de presque tous les écrivains qui ont parlé de la psychothérapie et de la relation d'aide. C'est ce qui donne à sa méthode son apparence extérieure de simplicité, qui peut porter certains à conclure qu'il ne s'agit que d'un pur jeu de l'esprit sans véritable consistance interne. C'est d'ailleurs un reproche qu'on adresse souvent à l'approche émotivo-rationnelle, mais il émane le plus souvent de personnes qui ne se sont pas donné la peine d'étudier attentivement et de sonder profondément les ramifications fort complexes de cette méthode et de cette philosophie.

Il est indéniable qu'Ellis possède un flair particulier pour déceler les pensées inconscientes qui causent les états émotifs prolongés ou transitoires. S'inspirant sans doute de sa longue expérience de la thérapie, il va droit au but et les explications qu'il propose sont séduisantes à la fois par leur netteté, leur réalisme et leur cohérence logique.

On sait que le domaine de l'aide thérapeutique est régulièrement traversé par des vagues de nouveautés qui, en général, ne survivent que quelques mois ou quelques années. Un auteur pouvait récemment dresser une liste de plus de quarante nouvelles approches ayant vu le jour entre 1959 et 1975. Au-delà de ces variantes souvent assez exotiques, on peut reconnaître des mouvements de fond qui semblent délimiter trois grandes périodes dans l'évolution de la pensée et de la pratique thérapeutique.

"Au commencement, il y eut Freud". L'influence très considérable que les freudiens ont exercée se continue encore depuis que le fondateur de l'école publia ses premières oeuvres en 1900. A cette première tradition qui insiste beaucoup sur l'influence de l'inconscient et préconise une thérapie qui peut facilement devenir interminable s'est ajouté, vers les années 1950, le courant rogérien, dit "thérapie centrée sur le client". On assista alors à une efflorescence de méthodes dont le point commun est d'insister fortement sur le rôle des émotions, sur le vécu "ici et maintenant", probablement en réaction à l'insistance que la méthode analytique mettait sur le passé.

Depuis une vingtaine d'années, un troisième courant se fait jour, qui lui, insiste sur l'importance des facteurs cognitifs dans le développement de la névrose et préconise une thérapie centrée fondamentalement sur l'identification et la modification des contenus mentaux. On peut légitimement ranger Ellis parmi les précurseurs de cette méthode qui, toute récente qu'elle soit, n'en puise pas moins ses origines dans la philosophie stoïcienne antique. La contribution d'Ellis a été suivie de celle de nombreux autres chercheurs, tels que Maultsby, Harper, Meichenbaum, Mahoney, et bien d'autres encore.

Le présent volume permet donc au lecteur de prendre contact avec une approche thérapeutique fort intéressante. Il est spécialement destiné à tous ceux et celles que les contraintes de la vie amènent à demeurer avec des personnes "névrosées" ou à entretenir des contacts fréquents avec elles. Tout thérapeute a entendu mille fois les plaintes de ces personnes:

époux, épouses, parents, employés, employeurs, qui sont quasi forcées ou qui choisissent de vivre avec des personnes émotivement perturbées.

Avec sa vigueur et sa clarté habituelles, l'auteur propose à ces personnes une méthode à la fois simple et rigoureuse qui puisse leur fournir un instrument leur permettant de les amener à aider ces personnes perturbées, de telle sorte que leur propre vie en soit facilitée. On trouve dans ces pages un excellent petit traité de la relation d'aide à l'usage des non-professionnels, où d'ailleurs de nombreux professionnels pourraient eux-mêmes puiser des enseignements fort valables. C'est donc à de multiples titres que je trouve heureux que paraisse cette traduction du volume d'Ellis. Puisse-t-elle servir vraiment à aider toutes les personnes soucieuses de mieux se comprendre elles-mêmes, de mieux comprendre leurs proches "névrosés" et d'arriver à les aider.

J'exprime ici ma reconnaissance à Jeanne-d'Arc Prud'homme qui m'a apporté une aide précieuse dans la préparation de cette traduction.

Lucien Auger

**Centre Interdisciplinaire
de Montréal Inc.**

Introduction

L'une des questions que me posent le plus souvent mes clients et mes amis s'énonce ainsi: "Dites-moi, docteur Ellis, quelle est, à votre avis, la proportion de personnes de notre société qui agissent de façon névrotique?" Je réponds presque toujours: "En gros, à peu près cent pour cent".

Suis-je vraiment sérieux? Pas tout à fait. Au plan théorique, les gens agissent de façon névrotique quand, tout en étant intelligents et remplis d'aptitudes, ils agissent stupidement et d'une manière qui nuit à leurs propres intérêts. En ce sens, nous sommes presque tous plus ou moins "perturbés".

Au plan pratique, cependant, nous réservons l'appellation "névrosé" aux personnes dont les sentiments semblent si déréglés et l'agir si inefficace ou si perturbé qu'elles se sentent fréquemment anxieuses, déprimées, blessées ou hostiles. En ce sens, je dirais qu'à peu près trente à cinquante pour cent d'entre nous agissons souvent de façon névrotique.

Sauf erreur, ceci veut dire que des millions de personnes sont affectées de problèmes émotifs, dont beaucoup peuvent être décelés même par un non-professionnel sans formation spéciale. Y a-t-il quelque chose à faire? En présumant que vous ne soyez pas trop troublé émotivement vous-même et que certaines des personnes que vous fréquentez le soient davantage, que pouvez-vous faire pour vivre à l'aise avec des individus perturbés et essayer de les aider? Ce livre tente de répondre à cette question.

Pour illustrer ce qui arrive souvent quand une personne entretient des rapports assidus avec un individu affecté de troubles émotifs graves, considérons les cas de deux personnes qui vinrent par hasard me consulter le même jour. La première, une femme de 30 ans mariée depuis six ans, avait un mari qui, tout en n'ayant rien fait de particulièrement étrange, ne lui avait pas donné un sou pendant toute cette période. Il payait le loyer et la nourriture, restait à la maison à lire les rares soirs où il ne participait pas à une réunion de l'une des nombreuses organisations dont il était membre et avait avec elle des rapports sexuels environ une fois par mois. A part cela, son comportement ne correspondait en rien à celui d'un mari. Participer avec sa femme à l'éducation de leurs deux enfants, jouer avec eux, inviter sa femme au spectacle, lui raconter ce qui se passait au bureau, et discuter des dernières nouvelles, tout cela n'entrait pas dans ses préoccupations. Pourtant, quand j'eus avec lui une conversation, il ne voyait rien d'inusité à son mariage, ne comprenait pas pourquoi sa femme se sentait si malheureuse et croyait sincèrement vivre avec elle une excellente relation.

Mon second client, un homme de cinquante ans, marié depuis vingt-neuf ans, avait une femme qui, pendant toutes ces années, s'était enfermée à la maison. Elle n'avait de relations amicales qu'avec sa propre mère, ne consentait à des rapports sexuels que trois ou quatre fois par an et prétendait être une excellente épouse puisqu'elle ne manquait jamais de préparer les repas ou d'expédier le linge sale à la buanderie. Cette femme, tout comme le mari de ma première consultante, était évidemment affectée d'un trouble émotif grave. Elle ressentait tant de peur à l'idée de s'écarter un tant soit peu de sa routine rigide, qu'elle en était venue à vivre au minimum et entretenait des idées fausses sur ce qui constitue un bon mariage.

Qu'est-ce que mes deux clients pouvaient faire? Je leur expliquai, quand je me rendis compte de la perturbation de leurs conjoints, qu'ils avaient le choix entre trois options: divorcer ou se séparer; amener leurs conjoints à recevoir une aide psychologique professionnelle, ou continuer à vivre avec eux tout en apprenant comment faire face à leur trouble.

Dans de tels cas, mes consultants trouvent habituellement que la première solution n'est guère séduisante ni pratique, puisque séparation ou divorce, surtout quand il y a des enfants, amènent bien des souffrances et des tracas. La seconde solution les intéresse, mais leur paraît irréalisable puisque le conjoint refuse de se soumettre à un traitement psychologique professionnel. Quant à la troisième option, celle de continuer à vivre avec un "névrosé" sans tomber dans le désespoir, ils la trouvent à la fois séduisante et réalisable.

Pour vous initier à expérimenter cette troisième option, j'ai mis au point une technique qui vous enseigne exactement comment vous y prendre pour vivre agréablement avec un "névrosé". Le présent livre explique les grandes lignes de cette méthode.

Par exemple, j'amenai la femme de trente ans à percevoir son mari comme un être extrêmement peureux et facilement effrayé. Il avait le sentiment d'avoir gravement souffert dans ses relations avec sa mère et avec deux autres femmes et, en conséquence, il redoutait de s'impliquer émotivement avec qui que ce soit, de peur de se sentir encore rejeté et "détruit". Quand sa femme comprit cela, et continua à se montrer chaleureuse et rassurante malgré sa froideur, il se réchauffa graduellement, se rapprocha sensiblement d'elle, consentit à courir les risques d'un engagement émotif et devint plus attentionné à son égard.

Le cas de l'homme de cinquante ans ne se régla pas si facilement. Nous découvrîmes que sa femme était presque psychotique et parvenait tout juste à rester en contact avec la réalité en menant une vie très rigide. Elle refusait toute aide thérapeutique, et même toute la bonté et toute l'attention de son mari ne parvenaient pas à la décontracter. En dernier ressort, j'appris au mari à l'accepter avec sa perturbation et à comprendre que sa froideur découlait de cette perturbation et non pas de son comportement à lui. Il avait le choix entre deux solutions: se séparer de sa femme ou l'accepter avec sa psychose. Comme il ne désirait pas la quitter, en partie à cause de ses convictions religieuses, je l'aidai à faire face de façon réaliste au fait qu'il vivait avec une femme qui continuerait fréquemment à donner des signes de ses problèmes émotifs.

Ces deux cas constituent des exemples non pas des problèmes qu'ont à affronter ceux qui vivent avec des "névrosés" ou des "psychotiques" mais bien des choix qui se présentent à eux. Car si vous vivez, pour quelque raison que ce soit, avec un conjoint, un parent, un ami ou un collègue régulièrement troublé émotivement, vous avez le choix entre d'innombrables mauvaises solutions, mais seulement deux ou trois bonnes. Ou bien vous choisirez d'aider cette personne à s'améliorer et à devenir ainsi d'un commerce plus agréable, ou bien, si vous ne voulez ou ne pouvez le faire, vous choisirez de vivre avec elle en dépit de son trouble continu, mais en tâchant d'en souffrir vous-même le moins possible. Dans certains cas, vous pourrez choisir une solution qui combinera ces deux options.

En tâchant de vous aider à vivre agréablement avec un "névrosé", ce livre peut aussi vous apprendre des points utiles sur vous-même et sur vos propres tendances "névrotiques". En effet, l'une des meilleures façons de se connaître soi-même consiste à tenter de comprendre et d'aider les autres.

Citons un autre exemple. Une jeune mère vint me consulter parce qu'elle avait de fréquents conflits avec sa belle-mère qui prétendait lui dicter la conduite à prendre avec son enfant ou son mari et comment mener sa vie. Comme elle avait éprouvé des sentiments de révolte envers sa propre mère et n'avait aucune intention d'accepter par son mariage une supervision encore plus étroite, elle se défendait avec acharnement contre sa belle-mère, au grand désespoir de son entourage et particulièrement de son mari.

Je la laissai d'abord parler abondamment de sa belle-mère. J'en vins à comprendre que cette dernière

était animée des meilleures intentions, mais aussi ha-
bitée des pires anxiétés. Elle refusait, dans sa propre
vie, de prendre les plus infimes décisions, craignant
de commettre quelque terrible erreur. Elle essayait
donc de prendre des décisions pour les autres (y
compris sa belle-fille). Elle pouvait ainsi éviter toute
responsabilité et toute culpabilité dans les cas où ces
décisions s'avéreraient malencontreuses, puisqu'elle
ne les avait pas *vraiment* prises elle-même.

Ma consultante commença à comprendre que ce
qu'elle avait pris pour de la force de caractère chez sa
belle-mère témoignait en réalité de sa faiblesse et de
son indécision. Cette constatation l'amena à perdre
de son hostilité et, plutôt que de s'irriter face aux
tentatives de sa belle-mère à mener sa vie, elle en vint
à la prendre en pitié et à essayer de lui témoigner
plus d'affection, de même qu'à la sécuriser. Les relations entre la belle-fille et la belle-mère en vinrent
finalement à être presque cordiales!

Un jour, cette cliente me dit spontanément: "Vous
savez, j'ai eu l'occasion de réfléchir à la façon dont
ma belle-mère agit envers moi et aux raisons qui l'a-
mènent à se comporter ainsi. L'autre jour, comme
j'expliquais à ma fille aînée comment faire ses devoirs, j'ai réalisé que j'avais bien des points en
commun avec ma belle-mère. Tout comme elle, j'ai eu
une mère autoritaire et j'avais tendance à subir grandement son influence, moi aussi. Tout comme elle,
j'étais très indécise: j'hésite souvent interminable-
ment avant de prendre des décisions!"

"Quand je me suis entendue, l'autre jour, dire à ma
fille comment faire ses devoirs, j'ai soudain vu ma

belle-mère me soumettant au même traitement. Je me suis aperçue pour la première fois combien nous avions des traits communs. Je n'aime évidemment pas beaucoup penser à cela, mais je ne peux nier l'évidence!"

"Croyez-le ou non, quand j'ai réalisé cela, j'ai brusquement interrompu mes recommandations à ma fille, et je me suis dit: "Allons! Cesse de bousculer cette enfant. Tout ce que tu veux, c'est qu'elle se comporte mieux que tu ne le fais, qu'elle agisse avec plus de fermeté et d'esprit de décision. Mais la méthode ne réussira jamais. Tu ne feras que continuer à éviter tes problèmes plutôt que de les régler. Laisse-la tranquille! Tu agis aussi sottement que ta belle-mère!" Et j'ai de fait cessé immédiatement pour dire à ma fille de faire son travail comme elle l'entendait. Je me suis alors sentie beaucoup mieux".

Ainsi donc, comprendre les autres pourra souvent vous amener à mieux vous comprendre vous-même. Comprendre les perturbations des autres diminue de moitié l'effort que vous devez fournir pour comprendre vos propres tendances névrotiques. Si, comme cela semble bien être le cas, nous vivons à une époque et dans une culture où les troubles émotionnels foisonnent, il vaudrait mieux accepter la possibilité que nous soyons nous-mêmes affectés de certains troubles. Et, de plus, nous traversons la vie en étant confrontés et souvent même impliqués dans les troubles émotifs des autres.

Nous est-il possible d'identifier, de comprendre et de contribuer à améliorer certains des problèmes névrotiques que nous rencontrons? Ce livre prétend que nous le pouvons.

Chapitre I

Est-il possible d'aider
une personne émotivement
perturbée?

Pour parvenir à vivre aisément avec des personnes émotivement perturbées et à les aider, il vaut mieux croire que vous *pouvez* les aider. Et en effet, vous le pouvez. En tant qu'êtres humains, nous apprenons (ou nous nous enseignons à nous-mêmes) nos névroses; et ce que nous apprenons, nous pouvons normalement le désapprendre.

L'impression qu'a le "névrosé" de ne pas pouvoir s'en sortir tient au fait qu'il *croit* son cas sans espoir. L'une des caractéristiques les plus spécifiques et, pourrait-on dire, les plus humaines, des hommes et des femmes, consiste en ceci: ce qu'ils *croient,* ils l'acceptent comme étant la vérité; ce qu'ils *pensent* qu'ils ne peuvent pas changer, ils ne *parviennent pas* à le changer. Mais si les êtres humains croient qu'ils *peuvent* changer, ils peuvent presque toujours y réussir. Si vous croyez que vous pouvez les aider à changer, vous avez de bonnes chances d'y parvenir.

J'ai rencontré un jour un avocat célèbre. Après vingt-cinq années de mariage, il n'avait pas encore appris à satisfaire sexuellement sa femme. Quand je lui proposai quelques moyens bien connus, il objecta tout de suit: "Mais docteur Ellis, comment pourrais-je changer mes habitudes sexuelles, après si longtemps?"

"Vous vous considérez comme un bon avocat n'est-ce pas?" répondis-je.

"Oui, je pense bien".

"Et chaque fois que vous acceptez une nouvelle cause, vous dressez vos plans soigneusement à la lumière de votre expérience dans ce genre de cause et à partir de votre connaissance des réactions des juges et des jurés, n'est-ce pas?".

"Bien sûr".

"Eh! bien", dis-je "supposons qu'après avoir travaillé à une cause pendant un certain temps, vous constatiez que vos plans ne réussissent pas. Que faites-vous alors? Vous acharnez-vous à suivre ces plans, parce que vous les avez élaborés ainsi au début?"

"Bien sûr que non. J'invente une nouvelle stratégie, je m'y prends d'une autre manière".

"Pourquoi alors ne pas agir de même dans vos rapports sexuels avec votre épouse? Votre stratégie du début n'a pas réussi pendant vingt-cinq ans. Que comptez-vous faire? Continuer la même chose pendant encore vingt-cinq autres années?

"Je n'avais jamais pensé à cela de cette façon".

"Bon... ne croyez-vous pas qu'il vaudrait mieux le faire, en présumant que votre vie sexuelle avec votre femme ait pour vous autant d'importance que de gagner un procès?"

Soit dit en passant, il se mit sérieusement à y penser et réussit bientôt à améliorer considérablement ses rapports sexuels avec son épouse.

On peut donc conclure que bien des gens se sentent désespérés et semblent être des cas sans espoir tant qu'ils se pensent tels et qu'en conséquence, ils ne s'efforcent pas de changer. Car tout changement implique un effort; l'effort, à son tour, présuppose un objectif, une idée. L'essence même du changement découle de *l'idée* que les choses peuvent s'améliorer, que le changement est possible. Rendez-vous compte que le concept d'espoir fait disparaître le désespoir.

Si on applique ce raisonnement au "névrosé" avec lequel vous vous trouvez fréquemment en contact, on peut conclure que si vous avez l'idée qu'il peut changer, l'idée qu'il ne doit pas obligatoirement rester perturbé, vous avez déjà fait la moitié du chemin vers une aide efficace. J'ai passé de nombreuses années de ma carrière de thérapeute à inculquer cette idée à mes consultants qui se trouvaient en contact intime avec des personnes émotivement perturbées.

Prenons l'exemple d'un homme qui vint me consulter parce que, comme il s'efforçait de terminer ses études universitaires, sa femme se mit à devenir très jalouse de ses activités scolaires. Dès qu'il s'installait avec ses livres, elle cessait elle-même de lire ou de regarder la télé et se mettait à lui parler de banalités. Quand il lui faisait remarquer qu'il devait étudier, elle déclarait que ses études comptaient pour lui plus qu'elle, qu'il ne lui consacrait jamais de temps et que certainement il ne l'aimait plus. Ceci entraînait une longue discussion qui, avant de s'apaiser, occupait toute la soirée et empêchait cet homme de poursuivre ses travaux.

A ma suggestion, le mari prit une nouvelle attitude. Avant de se mettre à son travail scolaire, il prit le temps d'exprimer son affection à sa femme, de lui répéter qu'il l'aimait et, à l'occasion, lui faire des avances sexuelles. Il se mit à discuter avec elle de ses études et s'efforça de l'y intéresser autant qu'il l'était lui-même. Il se mit à lui raconter ses problèmes avec tel ou tel professeur et à lui demander conseil.

Enfin, mon consultant persuada sa femme de l'aider dans ses études. Il lui demanda d'exécuter pour lui des travaux de dactylographie et de lui faire la lecture quand il était fatigué. Elle s'intéressa vivement à son travail et eut bientôt le sentiment de partager ses études. Après quelques semaines de cette nouvelle méthode, qui amena l'épouse à coopérer activement avec son mari, ils en vinrent à s'entendre beaucoup mieux qu'auparavant. La tendance névrotique de l'épouse à se minimiser elle-même diminua notablement quand elle se vit contribuer valablement aux études de son mari.

Cette même stratégie peut donner de bons résultats avec de nombreux "névrosés". Si vous tentez de discuter ou de les forcer à abandonner leurs comportements déficients, vous aggravez souvent la situation. En essayant plutôt de découvrir le pourquoi de leurs agissements et de voir comment vous pourriez les amener à agir différemment, vous avez de bonnes chances de les aider, et de vous aider vous-même du même coup. Les gens agissent en effet souvent bien plus en fonction de principes psychologiques que de principes logiques. Si vous les traitez avec compréhension vous pouvez accomplir des merveilles même dans certains cas apparemment les plus désespérés.

Comprendre et aider les autres dépend en grande partie de votre façon de considérer les choses. La plupart des gens sont impliqués si profondément dans leurs problèmes et leurs préoccupations qu'ils consacrent peu de temps et d'efforts à tenter de comprendre le point de vue de quelqu'un d'autre. Si vous pouvez parvenir à voir les choses à travers les yeux de l'autre, vous pourrez souvent l'aider considérablement.

A ce propos, je me rappelle une femme, excellente secrétaire, qui avait toujours trouvé beaucoup de plaisir à son travail. Cependant, parce que les critiques de son mari l'irritaient, elle commença à mal fonctionner dans son travail, à s'y intéresser de moins en moins et à désirer cesser de travailler. Son mari s'opposait à cette décision, invoquant le fait que son salaire leur était fort utile. Elle essayait de lui expliquer son état d'esprit mais sans succès. Elle commença à se sentir coupable, autant que déprimée.

Comme je le fais souvent dans ces cas, je décidai d'essayer d'utiliser le mari comme thérapeute-adjoint et je demandai à le rencontrer. Il passa la plus grande partie de notre première rencontre à se plaindre du désir "déraisonnable" de sa femme de cesser de travailler. Il était convaincu qu'elle accomplissait un excellent travail pour son employeur et qu'elle se sentirait beaucoup plus heureuse en continuant à travailler plutôt qu'en cessant. Il ne pouvait concevoir qu'elle refusait de comprendre son point de vue.

Je lui expliquai soigneusement que, théoriquement, son opinion était pleine de bon sens. Si sa femme abandonnait son emploi, non seulement se déteste-rait-elle de fuir devant la difficulté, mais elle perdrait aussi la confiance en elle que sa compétence au tra-vail lui apportait et pourrait, en conséquence, se sen-tir moins habile dans d'autres domaines. Elle en vien-drait peut-être alors à se mépriser encore plus, ayant bouclé le cercle vicieux.

Le mari, flatté de me voir d'accord avec lui, rayon-nait de plaisir en m'expliquant qu'il allait rentrer chez-lui et asséner mes paroles à sa femme pour l'a-mener à agir selon ses visions à lui. Je pouvais l'ima-giner chargeant son fusil des munitions verbales que je venais de lui fournir.

"Vous m'avez bien compris", dis-je. "Mais considé-rons les choses sous un autre aspect. En voulant lais-ser son emploi, votre femme agit de façon illogique, à l'encontre de son propre intérêt. Mais voit-elle les choses de cette manière? N'est-il pas plutôt probable qu'elle ait l'impression que parce qu'elle se sent inef-ficace dans son travail, elle va perdre confiance en el-le-même en gardant cet emploi et que, en conséquen-ce, elle va mal se tirer d'affaire aussi dans d'autres domaines? Est-ce que cette pensée ne l'amène pas à se sentir *forcée* de quitter son emploi, même si elle se rend compte des inconvénients, monétaires et autres, de cette décision?"

Mon client répondit qu'il comprenait cela.

"Et allons plus loin", ajoutai-je. "Votre femme sait

que, il y a quelque temps, quand elle n'avait pas de problème au travail, elle en avait avec vous au sujet de l'entretien ménager et autres choses de ce genre, n'est-ce pas?".

"Oui, c'est exact".

"Et maintenant qu'elle envisage de quitter son travail elle sait combien vous déplorez cette décision?"

"Oui".

"Eh bien! si, selon son raisonnement, le fait qu'elle ait un bon emploi ne vous satisfait pas et ne lui procure pas ce qu'elle désire vraiment — votre amour et votre respect — devrait-elle vous récompenser en acceptant une situation qui ne lui mérite que des reproches de votre part?

Pourquoi ne serait-il pas plus logique — toujours de son point de vue — de poser un geste qui pourrait vous punir pour le traitement injuste qu'elle a l'impression que vous lui faites subir?"

"Expliqué de cette manière, cela a du sens".

"En effet. Je pense donc que vous allez comprendre ce que vous avez fait, sans même vous en rendre compte. Vous l'avez punie, quand elle avait du succès à son travail, en la critiquant à propos de l'entretien ménager. Et maintenant que ça va mal pour elle au travail et qu'elle songe à quitter son emploi, vous la récompensez inconsciemment en lui laissant voir combien vous êtes malheureux de cette décision. A son point de vue, si elle veut se venger de ce qu'elle considère être des critiques injustes de votre part, comment pourrait-elle atteindre cet objectif?

"Justement de la manière dont elle s'y prend actuellement, en me punissant par son projet de quitter son emploi".

"Exactement. Vous voyez bien que son plan n'est pas si absurde, après tout".

"Pas du tout, en effet".

En montrant à ce mari comment comprendre sa femme et comment voir les choses de son point de vue à elle, je l'aidai à diminuer la fréquence des critiques qu'il lui adressait. Il cessa de monter en épingle chacune de ses erreurs. Il attacha moins d'importance à certains de ses agissements trop farfelus, passa par-dessus les autres et s'engagea en général à prendre une attitude plus constructive avec elle. Sa femme, consciente de ce changement d'attitude, se mit à le récompenser — et à se récompenser elle-même — en étant plus efficace dans son travail, ce qui bientôt fit disparaître toute idée de démission.

Dans ce cas, j'aidai une femme dont la pensée était névrotique à diminuer la pression qu'elle s'imposait à elle-même, en amenant son mari à diminuer celle qu'il lui imposait. Quand il parvint à percevoir ses actions selon son point de vue à elle et à la traiter avec compréhension, elle se rendit compte de ses propres perceptions irréalistes et se mit à les modifier. Quand son mari parvint à l'accepter comme une épouse et un être humain, elle en vint à s'accepter elle-même comme une secrétaire efficace.

Cette démarche ne constituait évidemment pas la solution idéale à son problème. Elle aurait pu se sentir encore mieux si, en dépit des critiques de son mari, elle avait décidé de s'accepter elle-même pleinement; elle aurait ainsi décidé, par exemple, qu'elle *désirait* son amour, mais qu'elle n'en avait pas *besoin,* et qu'elle pouvait encore avoir du plaisir dans la vie (quoique moins facilement) même s'il ne l'acceptait pas beaucoup.

Quoi qu'il en soit, les "névrosés" peuvent apprendre à percevoir les choses différemment et arriver ainsi à changer leur conduite inadéquate. De plus, ils apprennent particulièrement bien à ce faire quand les autres se mettent à les voir sous un autre jour et à leur donner la chance d'agir de façon moins névrotique.

Parfois, des méthodes encore plus directes aident des gens émotivement troublés à régler leurs problèmes. Une mère vint me consulter un jour au sujet de la peur qu'éprouvait sa fille de vingt-et-un ans quand elle restait seule à la maison. La jeune fille exigeait que l'un ou l'autre de ses parents lui tienne compagnie quand elle-même ne sortait pas. J'essayai de rencontrer la jeune fille, mais elle refusa de se présenter en consultation, même pour une seule entrevue. Je résolus donc de la rejoindre à travers sa mère, qui devint ainsi une co-thérapeute.

Je proposai à la mère, dans cette situation, d'essayer d'appliquer une méthode de déconditionnement de la peur de sa fille. Je la persuadai de rendre visite à une voisine, officiellement pour quelques minutes, et de s'absenter en fait plus longtemps. Elle téléphonait de chez la voisine de temps en temps pour dire à sa fille que pour une raison quelconque, elle retardait son retour d'encore quelques minutes. Petit à petit, elle étira le délai de dix à vingt minutes, puis à trente et enfin à quarante.

Chaque fois que la mère s'absentait ainsi, elle disait à sa fille dès son retour, ainsi que je le lui avais recommandé: "Je regrette que Madame X m'ait retenue, mais tu sais comme elle est bavarde. De toute façon tu sembles t'être bien tirée d'affaire en mon absence. Voyons... j'ai été partie pendant trente minutes et tout s'est bien passé. J'ai toujours su que tu étais capable de rester seule et je parie que tu n'as plus tellement peur". Après avoir continué pendant plusieurs mois à allonger ses absences, sa fille en vint à s'habituer à l'idée qu'elle pouvait demeurer seule dans la maison. Elle se débarrassa graduellement de cette peur.

Il y a donc bien des méthodes pour aider un "névrosé". Aucune ne réussit très facilement; certaines exigent des efforts considérables. Mais si vous prenez le temps et le soin de les appliquer, elles donnent des résultats, et souvent bien meilleurs que vous ne pouviez l'escompter.

Il ne s'agit pas cependant de vous attendre à des miracles, bien que souvent des gens qualifient de miraculeux les changements opérés chez une personne quand un autre membre de la famille, convenablement guidé, l'aide émotivement.

L'une de mes clientes me disait: "Je ne peux assez vous remercier, docteur, pour ce que vous avez fait pour moi et ma famille. C'est un vrai miracle". Je répondis: "Ce n'est pas ce que *j'ai fait*, mais bien ce que *vous* avez fait qui a produit ce "miracle". Comme je vous le disais lors de notre première rencontre, je peux vous aider à comprendre des choses, je peux vous indiquer des moyens de vous aider vous-même. Mais c'est *vous* qui appliquerez ces moyens, qui agirez. Je ne peux rien faire à votre place; *vous* pouvez travailler—comme vous l'avez fait—à vous aider vous-même. C'est vous-même qu'il faut remercier".

Cette dame était parvenue à accepter les pénibles attaques verbales que sa fille lui adressait depuis presque dix ans. Au lieu de se mettre en colère, comme elle le faisait avant de me consulter, elle commença à comprendre pourquoi et comment ces attaques verbales se produisaient, et elle apprit à y répondre avec attention et bonté. Le résultat, atteint en six semaines, la renversa. Non seulement sa fille cessa-t-elle de lui faire la guerre, mais elle se mit à devenir serviable, cessa de passer tout son temps à la bibliothèque de son collège et se mit à fréquenter des garçons. Un vrai "miracle". Pourtant, il avait suffi d'un peu de compréhension, d'un changement dans l'attitude de la mère. Il n'en fallut pas plus pour qu'une jeune fille de dix-neuf ans, qui semblait condamnée à une vie d'auto-destruction et d'hostilité, puisse maintenant avoir une meilleure chance d'éprouver du plaisir et d'entrer en relation avec les autres.

Est-il possible à n'importe qui d'aider n'importe

quelle autre personne à se défaire de ses problèmes émotifs? Pas vraiment. Celui qui veut aider, en plus d'avoir de bonnes intentions et de la patience, a intérêt à n'être pas trop troublé lui-même. Cela vaut aussi pour la personne qu'il projette d'aider. Les personnes affectées de graves problèmes tireraient avantage à rencontrer un aidant professionnel; quant à ceux qui veulent les aider, ils peuvent se faire conseiller par un professionnel. Sinon, on peut faire plus de tort que de bien.

Soyons clairs: n'essayez pas de "guérir" vos amis ou vos parents qui se sentent très déprimés, qui se méprisent, qui se comportent de façon très agitée ou bizarre. De telles personnes peuvent être affectées d'une psychose et avoir besoin sans délai d'une aide professionnelle et parfois d'une hospitalisation. Essayez par tous les moyens de leur procurer une aide expérimentée.

Il n'en est pas moins vrai que beaucoup de personnes avec lesquelles nous avons des rapports intimes n'ont pas besoin d'une aide professionnelle, même si la plupart d'entre elles pourraient tirer profit d'au moins quelques entrevues. Il y a aussi bien des gens qui auraient intérêt à suivre une psychothérapie mais qui s'y refusent. Ces personnes peuvent souvent recevoir une aide considérable de la sage intervention d'un ami ou d'un parent qui veuille bien prendre le temps et se donner le mal de les comprendre et de les guider vers la solution de leurs problèmes.

Prenons l'exemple d'une mère qui vint me consulter pour se plaindre que sa fille de vingt-neuf ans ne s'intéressait pas vraiment à se trouver un mari. Elle fréquentait des hommes, mais ses fréquentations n'aboutissaient jamais au mariage; à chaque fois que ma cliente lui faisait remarquer ce phénomène, sa fille se mettait à hurler et à lui dire de se mêler de ses affaires. Que faire, disait la mère, avec une enfant comme ça?

Moi aussi j'essayai de convaincre la mère de se mêler de ses affaires. Je tentai de lui démontrer que si sa fille ne se mariait pas, c'était probablement parce qu'elle ne le voulait pas. Peut-être bien aussi que, même si elle voulait se marier, elle n'était pas assez sûre d'elle pour essayer de trouver l'homme qui lui conviendrait.

On pouvait croire également que les remarques de sa mère l'énervaient tellement qu'elle trouvait peut-être du plaisir à la contrarier en ne se mariant pas.

De toute façon, ajoutai-je, une mère ne pouvait guère contrôler ce que sa fille de vingt-neuf ans ferait ou ne ferait pas. Moins la mère la bousculerait, plus il était probable que la fille se marierait.

La mère ne comprenait rien à cela et se mit à penser que je coopérais avec sa fille (et avec le diable!) pour la garder célibataire. Je m'aperçus que nous n'irions pas très loin ainsi, puisqu'elle refusait de reconnaître sa part de contribution au "problème" et persistait à vouloir me convaincre que sa fille était "malade" et ingrate. Je lui demandai donc de m'envoyer sa fille. J'avoue que je n'avais guère d'enthousiasme à aider la fille — bien qu'il semblât qu'elle put profiter de mon aide — et que je croyais plutôt pouvoir obtenir son assistance pour aider sa mère.

Quand la fille se présenta, je vis tout de suite qu'elle avait vraiment des problèmes. Mais elle reconnut ce fait immédiatement et consentit à s'aider elle-même. Après quelques visites, elle commença à comprendre, comme je l'avais deviné lors de ma rencontre avec sa mère, qu'elle détestait la pression qu'exerçait sur elle sa mère et qu'elle y résistait en choisissant des compagnons masculins peu "mariables". Aidée par cette meilleure compréhension d'elle-même, elle se mit à mieux choisir ses amis et à s'appliquer à approfondir une bonne relation avec l'un d'entre eux.

Entre temps, avant même qu'elle ne change ses habitudes de fréquentation, je l'amenai à m'aider à régler le problème de sa mère. Après que je lui eus expliqué la perturbation de sa mère, la fille cessa de se disputer avec elle, et à mon conseil, se mit à accepter calmement presque toutes ses remarques.

Se rendant compte de l'anxiété exagérée de sa mère, elle ne lui racontait que ce que cette dernière voulait justement entendre à propos de ses fréquentations.

Si absurdes ou étranges que fussent les conseils de sa mère, elle les acceptait — ou du moins faisait semblant de les accepter — même si, en pratique, elle ne tenait généralement aucun compte des opinions de sa mère.

La mère, étonnée de la nouvelle attitude de sa fille, et surtout de sa sérénité, ne trouva bientôt plus rien à critiquer. Elle se calma. Elle me rendit visite plusieurs semaines plus tard, s'excusant de son hostilité première. Elle déclara qu'elle appréciait les changements que j'avais opérés chez sa fille, qui avait commencé à se comporter, disait-elle, "comme une tout autre fille".

En fait, la fille n'avait pas tellement changé, bien qu'elle se fut attaquée à ses problèmes fondamentaux, dont elle résolut un bon nombre quelques mois plus tard. La mère, paradoxalement, s'aida beaucoup elle-même. L'exemple du comportement décidé et raisonnable de sa fille lui enleva beaucoup de ses prétextes à se comporter déraisonnablement. Alors que le thérapeute que je suis avait échoué à modifier la névrose de la mère, la compréhension et l'action de la fille y réussirent.

Mon expérience de nombreux cas semblables m'amène à croire que, pourvu qu'il s'y prenne adroitement et sans ménager ses efforts, presque tout non-professionnel, exempt lui-même de problèmes trop sérieux, peut aider un parent proche, un ami, une connaissance qui a plus de problèmes que lui. Cependant, il est presque indispensable que l'aidant comprenne ce que c'est qu'une névrose, connaisse ses causes probables et certaines des méthodes qui peuvent contribuer à changer des comportements névrotiques. Muni de ces connaissances et armé d'un fort désir de les utiliser, cet aidant peut souvent obtenir des résultats remarquables.

Voyons maintenant ce que "névrosé" veut dire et ce qui rend une personne "névrosée".

Chapitre 2

Comment identifier
une personne affectée
d'un trouble émotif

Qui est "névrosé"?

Fondamentalement tout adulte qui, de façon habituelle, agit de façon illogique, irrationnelle, inappropriée et infantile.

Bien que, en théorie, les "névrosés" soient capables d'avoir une pensée personnelle autonome et de vivre une vie équilibrée et heureuse, en réalité ils se comportent de façon inintelligente, s'écartent des objectifs qu'ils désirent le plus atteindre et sabotent leurs meilleures possibilités.

Vous sera-t-il facile, en conséquence, d'identifier les "névrosés" au premier coup d'oeil?

Pas nécessairement. En effet, vous rencontrerez bon nombre de personnes *vraiment* stupides. A cause de déficiences mentales héréditaires ou qui se sont introduites tôt dans leur vie, ces personnes pensent confusément, agissent comme des enfants, se comportent de façon inefficace. Elles ne possèdent pas l'intelligence nécessaire pour établir des plans d'action et agir rationnellement. Parce que ces gens ne sont pas assez intelligents pour se garantir des coups, ils se font souvent blesser. Cependant, parce que leur comportement irrationnel et infantile est causé par une déficience physique (neurologique), il serait inexact de les appeler "névrosés".

De plus, la névrose est souvent confondue avec le malheur. Des millions de personnes se comportent de façon *appropriée* mais demeurent malheureuses. Pensez à ceux qui n'ont pas de quoi manger suffisamment, qui font un travail misérable, qui sont affectés de maladies chroniques. Est-il concevable qu'ils soient très heureux?

Les "névrosés" se gâtent donc la vie de façon *déraisonnable* et *inutile*. Ils s'imposent à eux-mêmes plus de souffrance et d'anxiété que théoriquement ils ne devraient en éprouver. Bon nombre d'entre eux possèdent plus de ressources qu'il n'en faut pour bien se tirer d'affaire dans ce monde: ils ont une belle apparence physique, possèdent une bonne intelligence, ont des talents intéressants. Malgré tout, ils n'arrivent pas à mener une vie agréable. Ce qui les empêche d'utiliser leurs capacités pour vivre harmonieusement, voilà ce qu'on appelle "névrose".

Il n'est pas facile de déceler les personnes qui agissent de façon névrotique pour la bonne raison que les "névrosés" se cachent très habilement. Ils redoutent que les autres connaissent l'étendue et l'intensité de leurs comportements déficients. Ils ont recours à toutes sortes de subterfuges et de moyens de défense pour empêcher les autres de les connaître sous leur véritable aspect. Par exemple, ils vivent une vie compartimentée, confinant leur conduite névrotique à une ou deux régions importantes de leur vie, tout en agissant raisonnablement pour le reste. Ou alors ils compensent en agissant de façon remarquable dans un secteur de leur vie — par exemple dans leur vie professionnelle — tout en s'effondrant pratiquement dans les autres secteurs. Ou encore, ils se livreront à des rituels absurdes et à des pratiques magiques dans le secret de leur domicile mais présenteront à l'extérieur une image convaincante de santé mentale.

En conséquence, de nombreux "névrosés" semblent heureux et équilibrés même à leurs amis intimes, bien qu'ils soient à un cheveu de s'effondrer psychologiquement.

Il existe un autre obstacle qui rend plus difficile l'identification de la presque infinie variété des symptômes névrotiques. Les "névrosés" sont portés à agir de façon bizarre, en partie irrationnelle et "folle". Mais les manifestations du trouble mental demeurent multiples. Alors qu'un "névrosé" a terriblement peur de faire presque n'importe quoi, un autre manifeste son aberration en risquant inutilement sa vie chaque jour dans quelque activité dangereuse. Alors que l'un reste couché tout le jour et refuse de faire le moindre travail, l'autre s'épuise frénétiquement dans toute une gamme d'entreprises exténuantes.

Une personne déclarera qu'elle est usée par toutes sortes de maux imaginaires et une autre, atteinte d'un cancer ovarien, maintiendra qu'elle n'est pas malade, que la mort n'existe pas et que ses exercices de yoga vont guérir tous ses maux.

Pour distinguer la névrose des autres formes de comportements étranges, il faut se rappeler que la névrose et l'excentricité diffèrent l'une de l'autre. Presque tous les "névrosés" agissent, quoi qu'il en soit, de façon excentrique, mais tous les "excentriques" n'agissent pas de façon névrotique. Si un individu comme Henry David Thoreau*, par exemple, veut s'éloigner de la société et vivre pour quelque temps dans les bois de Walden, ou si un Mahatma Gandhi décide de se mettre à la tête d'un mouvement de résistance passive contre les Anglais, ces excentricités et "hérésies" ne constituent pas nécessairement une preuve d'aberration émotive. Les révolutionnaires et les saints donnent parfois des signes de folie, mais pas toujours.

Il vous est possible — quoique difficile — d'être profondément en désaccord avec la plupart de vos congénères et de conserver en même temps une continuité d'action à l'intérieur de votre propre vie. La névrose indique plutôt une contradiction *interne*, une discordance entre vos objectifs personnels et les moyens que vous utilisez pour les atteindre. L'excentricité n'implique qu'une contradiction entre vos idéaux et ceux de vos voisins. Elle ne constitue pas forcément, bien que cela soit possible, un symptôme de déséquilibre personnel.

Compte tenu des données ambiguës et de notre incapacité à percevoir directement les contradictions internes et les conflits inconscients, comment est-il alors possible de distinguer un "névrosé" de ce qu'on

---

* N.D.T. - Ecrivain américain, auteur de "Walden ou la vie dans les bois" (1854), un des classiques de la littérature américaine.

appelle un être "normal"? La meilleure façon consiste à identifier les plus notables manifestations ou symptômes de sa névrose. Parmi les principaux symptômes de conflit émotif, on peut citer les suivants:

L'indécision, le doute, le conflit. Les "névrosés" agissent souvent avec indécision, hésitation, doute. Ils veulent faire quelque chose, mais redoutent de se tromper et d'échouer ainsi à leurs propres yeux et à ceux des autres. En conséquence, ils tergiversent, reculent devant les décisions, refusent de s'engager et d'assumer la pleine responsabilité de presque tout.

Une femme que je connaissais quitta son mari pour partager la vie d'un autre homme, mais commença alors à reprocher à son amant de ne pas posséder certaines caractéristiques de son mari. Elle oscillait entre les deux hommes. Elle fit littérallement la navette entre l'un et l'autre avant d'arriver à comprendre que le vrai problème ne concernait pas *leurs* caractéristiques mais bien sa *propre* indécision. Quand elle parvint à envisager ce fait et qu'elle commença à s'appliquer à régler ses propres problèmes, elle n'eut pas de difficulté à se décider, en faveur de son mari dans ce cas-ci.

La peur et l'anxiété. Presque tous les "névrosés" ont une peur irrationnelle de quelque chose. De l'extérieur, ils peuvent sembler des êtres sans peur, au sang froid de l'alpiniste. A l'intérieur, ils tremblottent. Plus que tout, ils redoutent ce que les gens pensent: ils ont une peur affreuse de ne pas être aimés et approuvés par les autres. Parfois, ils reconnaissent honnêtement ce fait, mais très souvent ils transforment leur crainte de la désapprobation en des phobies plus concrètes, comme la peur de circuler dans les rues ou la terreur de rester enfermés à la maison. Sondez leurs moyens de défense et vous trouverez une crainte irrationnelle.

Qu'est-ce qui fait trembler les "névrosés"? Tout ce que vous pouvez imaginer. J'ai vu des hommes bâtis comme des taureaux trembler à la vue d'un insecte, refuser de monter à bord d'un avion, avoir des sueurs froides à la seule idée d'aller à une réunion sociale, et qui auraient refusé de se présenter à une entrevue d'embauche même si leur vie en avait été menacée. J'ai vu des femmes qui avaient mis au monde cinq enfants sans défaillir être prises d'une peur panique à l'idée d'aller échanger un objet dans un magasin, ou de se soumettre à un examen médical, ou de manger une banane, ou de recevoir des amis. Certains "névrosés" parmi les plus physiquement braves ont terriblement peur de ce que les autres peuvent dire ou penser.

Les sentiments d'incompétence. Les personnes affectées de problèmes émotifs se sentent souvent incompétentes, sans valeur, mauvaises, méchantes. Elles croient qu'elles *devraient* faire ceci et seulement ceci, ou qu'elles *devraient* faire cela mais ne font, hélas, que ceci. Elles ne font pas que constater leurs faiblesses: elles les exagèrent hors de toute proportion. Par-dessus tout, ces personnes croient qu'un échec sérieux les révèle être elles-mêmes des nullités complètes. Elles ne font pas que condamner leurs défauts: elles se condamnent elles-mêmes, se reprochant amèrement d'avoir de si malencontreuses défaillances.

Voici l'un des exemples les plus marqués que j'aie jamais rencontré à ce sujet. Il s'agit d'une femme à qui son mari ne cessait de raconter avec un luxe de détails combien il rencontrait d'autres femmes avec qui il avait des rapports sexuels. Poussée à bout, elle alla se confier à l'un de ses cousins et en arriva bientôt à s'attacher à lui à cause de sa bonté. Elle commença alors à se sentir terriblement coupable, à se considérer comme une affreuse adultère et à conclure qu'elle était une misérable mère pour ses enfants. J'ai eu bien du mal à lui montrer que c'étaient ses exigences irréalistes envers elle-même et les sentiments de non-valeur qui en découlaient qui étaient la cause de son auto-critique destructrice, et non pas son "adultère".

La culpabilité et l'auto-condamnation. Les gens qui sont affectés de problèmes graves ont d'habitude un code moral très rigide. Ils blâment les autres et se reprochent à eux-mêmes d'innombrables désirs et actions. Comme Sigmund Freud l'a souligné, ils ont une difficulté particulière à accepter leurs impulsions sexuelles. Mais cela ne représente souvent qu'une faible part de leur problème, car ils se condamnent aussi pour bien d'autres actes de nature non-sexuelle. Ils ont tendance à devenir trop exigeants dans leurs pensées et trop relâchés dans leurs actions. Ils savent ce qu'ils *devraient* faire et ne le font pas. Ils se condamnent alors sans merci.

L'un de mes clients qui se réclamait des principes les plus élevés d'intégrité et d'honnêteté obtint un emploi qui consistait à vendre des encyclopédies à domicile. Il aimait ce travail car il avait l'impression qu'il pouvait par lui contribuer à élever le niveau culturel des familles auxquelles il vendait ses encyclopédies, et il en vint rapidement à avoir beaucoup de succès à ce travail. Après quelque temps, cependant, il se tracassa tant à l'idée qu'il pouvait bien parfois exagérer quelque peu les mérites de sa marchandise qu'il se mit à passer des heures à reviser et à corriger son boniment de vendeur. Même cette démarche ne réussissait pas à le satisfaire; il se mit alors à décrire les encyclopédies à ses clients avec tant de prudence et tellement de mises en garde que les gens en vinrent à croire qu'il s'excusait d'avoir même tenté de leur vendre ces livres. Comme il fallait s'y attendre, son chiffre d'affaires se mit à décliner et, en désespoir de cause, il demanda de l'aide thérapeutique.

Il réussit enfin à s'aider lui-même quand il commença à comprendre que sa peur phobique de proférer la moindre inexactitude ou exagération venait de son adhésion à la grande peur de sa mère, qui redoutait qu'il ne marche dans les traces de son père, se mette à tricher aux cartes et devienne ainsi "méchant".

Sensibilité et méfiance exagérées. Les gens qui sont troublés émotivement se comportent souvent avec méfiance. Ils ne font pas que croire que les autres ne les aiment pas; ils recherchent activement et avec ardeur ce rejet jusqu'à ce qu'ils l'obtiennent. Ils ressentent tant de culpabilité cachée à propos de leur conduite qu'ils en viennent à se convaincre que tout le monde les voit comme ils se voient et en conséquence, les déteste.

Prenons un exemple clair. L'une de mes clientes remarqua que je me mets souvent deux doigts juste sous le nez, appuyés sur ma lèvre supérieure. Je fais ce geste avec tout le monde, tant avec mes clients qu'avec des amis ou des intimes.

La dame en question déclara: "Je vois que vous vous bouchez le nez. Vous le faites parce que vous pensez que je pue, n'est-ce pas?" — "Non", répondis-je, "mais il est clair que vous pensez que tout le monde pense que vous sentez mauvais". — "Comment le savez-vous?" demanda-t-elle.

Hostilité et rancune. Beaucoup de "névrosés" se comportent de façon hostile et rancunière. Comme ils se détestent eux-mêmes, ils ont tendance à détester les autres. Convaincus que l'univers les traite injustement, ils croient qu'il leur faut se venger. Comme ils sont souvent frustrés, en grande partie à la suite de leurs propres comportements irrationnels, ils réagissent souvent de la manière habituelle: en devenant agressifs envers la société qui, selon eux, les brime.

Le trésorier d'un groupe dont j'ai déjà fait partie était souvent en conflit avec les autres responsables du groupe parce qu'il persistait à agir de façon autocratique et peu orthodoxe. Quand ses collègues se plaignaient de ses méthodes il se sentait très irrité et les considérait comme d'injustes critiques de ses projets. A cause de sa frustration — en fait, à cause du fait qu'il se disait à lui-même que nul ne devait le frustrer — il se comportait hostilement non seulement envers les autres responsables du groupe mais encore envers presque tout le monde. Si on lui en donnait la chance, il vitupérait pendant des heures contre les hommes politiques, les bureaucrates, la littérature moderne, les belles-mères, le système scolaire et des dizaines d'autres petits ennuis.

Il ne s'apercevait jamais que son hostilité prenait sa source non pas dans le fait qu'il détestait qu'on contrecarre ses plans, mais bien dans le fait qu'il exigeait intérieurement que tout le monde agisse selon ses méthodes à lui.

La complaisance exagérée. Bien des gens tentent de se ménager les bonnes grâces des autres au prix de leur propre estime d'eux-mêmes. Dans le but d'obtenir l'amour et l'approbation des autres, ils se font les esclaves de leurs parents et collègues, s'abaissent eux-mêmes, et alors s'en détestent d'autant plus et ressentent insécurité et rejet. De plus, parce qu'ils ont en horreur leur propre tendance à plaire exagérément aux autres, ils tentent souvent de compenser en dirigeant leur hostilité vers ceux dont ils recherchent les faveurs.

Un homme que je connais se livre à un comportement typiquement névrotique sur ce point. Il passe son temps à s'excuser à sa femme de tout ce qu'il fait ou ne fait pas, puis il la fusille verbalement pour une erreur banale, comme celle d'oublier d'aller chercher les vêtements chez le teinturier.

Une de mes clientes encourage son père à la traiter comme un paillasson. Elle passe ensuite des heures à se plaindre à moi de la conduite méchante de son père. Quand je fais remarquer à de telles personnes qu'il peut bien exister une relation entre leur tendance à s'humilier devant les autres et leur haine de ces mêmes autres, elles ont souvent du mal à comprendre comment la première attitude peut mener à la seconde. Mais quand elles parviennent à faire le lien entre les deux démarches, se mettent à agir de façon plus assurée et abandonnent leur conduite exagérément complaisante, une grande partie de leur hostilité disparaît.

L'inefficacité et la stupidité. Les "névrosés", même quand ils réussissent très bien, agissent de façon inefficace. Beaucoup agissent mal ou pas du tout. D'autres en font trop ou atteignent le succès de manière inutilement laborieuse, avec un sacrifice inutile de temps, d'énergie physique et nerveuse et de plaisir. Ils travaillent avec peu de rigueur, sans plan bien établi; il arrive aussi qu'ils travaillent d'une manière compulsive, avec des systèmes compliqués dans lesquels ils s'embourbent. Ils en arrivent à se bloquer émotivement de telle sorte qu'ils ne veulent plus ou ne peuvent plus régler leurs problèmes. Il se peut aussi qu'ils élucident mentalement leurs problèmes mais continuent à *agir* aussi irrationnellement qu'auparavant.

J'ai déjà eu en traitement une femme qui faisait des études avancées en philosophie et y réussissait fort bien. Un jour elle m'annonça que ses parents s'étaient absentés pour quelque temps, et que, pendant ce temps, elle négligeait tant les besognes domestiques qu'elle redoutait une véritable invasion de rats.

"Pourquoi ne faites-vous pas le ménage?" demandai-je.

"Mais, il fait si beau... répondit-elle. J'aime mieux me dorer au soleil!"

"Vous ne pesez pas tous les termes de l'équation, rétorquai-je. Vous ne pensez pas logiquement."

"Que voulez-vous dire?"

"Eh! bien, vous comparez d'une part le ménage et d'autre part vous dorer au soleil. Naturellement, selon cette équation, vous allez continuer à vous dorer au soleil. Mais l'équation plus exacte est la suivante: d'une part vous dorer au soleil *et* être menacée de toutes sortes de choses déplaisantes ou, d'autre part, faire le ménage *et* vous sentir libre de vous dorer au soleil ou de faire toute autre chose qui vous plaise."

"D'accord, cela semble à peu près exact."

"Et alors... de quel côté y a-t-il plus de plaisir?"

"Je comprends"!

Et elle se mit sans tarder à nettoyer la maison.

Le manque de réalisme. Presque tous les "névrosés" se mentent à eux-mêmes et refusent d'accepter le réel. Plutôt que de faire face résolument à leurs frustrations, de reconnaître leurs faiblesses et d'accepter sans gémir les dures réalités de la vie, ils ont tendance à rationaliser, à fuir les problèmes, à blâmer les autres et à se faire une image du monde qui repose plus sur la poésie que sur la vérité.

Un médecin que j'avais connu quand j'étais au collège me rendait visite à tous les deux ou trois ans. Il m'arrivait chaque fois accompagné d'une jolie femme qui, de toute évidence, n'avait rien en commun avec lui au plan intellectuel. Il m'entretenait à part, au cours de la soirée, et m'expliquait longuement quelles caractéristiques enviables elle possédait, ses capacités sexuelles étonnantes et combien elle était plus séduisante que les femmes de son propre milieu culturel et intellectuel. Je posais tranquillement quelques questions incisives qui révélaient mon scepticisme quant à la stabilité de leur relation, mais il se défendait avec ardeur. A la visite suivante, il me disait combien j'avais vu juste à propos de la dernière femme, mais que celle qu'il fréquentait maintenant, c'était une autre affaire, et il se lançait alors dans une description fort peu réaliste des qualités de sa compagne du moment.

Ce n'est qu'après plusieurs années et une thérapie intensive que mon ami parvint à admettre que son choix de femmes jolies mais peu brillantes intellectuellement résultait de ses sentiments profonds d'infériorité devant des femmes intelligentes et cultivées. Ces sentiments d'infériorité l'avaient amené, en prenant ses rêves pour des réalités, à évaluer les qualités de ses compagnes de façon irréaliste et à se convaincre lui-même de leurs caractéristiques positives imaginaires.

L'attitude défensive. Une fois qu'ils ont commencé à se mentir à eux-mêmes, les "névrosés" édifient des systèmes de défense pour ne pas avoir à affronter une réalité déplaisante. Ils élaborent d'habitude un réseau complexe de réactions faussées, et prétendent consciemment qu'ils agissent ou ressentent certaines émotions alors qu'inconsciemment ils sont mus par des sentiments très différents. Voici quelques-uns des mécanismes de défense les plus courants:

La rationalisation: elle consiste à inventer une "bonne" raison pour justifier un acte considéré comme blâmable. Exemples: la mère qui ressent un désir névrotique de critiquer son fils, mais qui déclare qu'elle ne le fait que pour son bien; l'homme qui collectionne des livres pornographiques mais qui prétend qu'il ne le fait que pour satisfaire ses intérêts scientifiques quant à la sexualité.

La compensation: elle consiste à agir adéquatement dans un domaine pour dresser un écran de fumée destiné à masquer la fuite névrotique dans d'autres domaines dangereux. Exemples: la femme qui, ayant peur d'aller danser, passe pratiquement sa vie à la bibliothèque et devient ainsi une experte en histoire médiévale; l'homme qui devient un excellent entraîneur au baseball parce qu'il craint de ne pas très bien jouer au baseball lui-même.

L'identification: elle consiste à compenser ses propres faiblesses en s'alliant étroitement à quelqu'un qui semble fort. Exemples: le lâche qui se croit un "vrai dur" parce qu'il fréquente des durs-à-cuire; l'adolescente pas très jolie qui se prend pour une vedette de cinéma très attrayante et refuse de reconnaître ses propres limites.

La projection: elle consiste à rejeter sur les épaules des autres la responsabilité de ses propres défaillances. Exemple: l'homme qui déteste son père accuse son père de le détester ou qui conclut erronément que d'autres hommes détestent leurs pères.

Le refoulement: consiste à oublier certains aspects de sa conduite dont on se sent coupable ou qu'on considère comme pénibles. Exemples: la femme qui n'arrive pas à se souvenir de la nuit passée avec un étranger; l'individu qui ne se souvient que des matchs de tennis qu'il a gagnés et oublie commodément ceux qu'il a perdus.

La résistance: elle consiste à refuser de se rendre compte de certains éléments déplaisants à propos de soi-même, même quand ils sont clairement mis à jour. Exemples: le client en thérapie qui refuse d'admettre qu'il nourrit des sentiments hostiles envers sa mère, même quand son thérapeute lui démontre que ses relations avec elle se sont déroulées sous le signe de l'hostilité; le joueur de cartes qui s'entête à prétendre qu'il joue bien même quand il fait de nombreuses erreurs.

Le transfert: il consiste à ressentir envers une autre personne des émotions non pas basées sur le réel mais sur le fait que cette personne possède quelque trait commun avec des individus auxquels on a précédemment été attaché, en particulier ses parents. Exemples: l'adolescent qui, parce qu'il rejette ses parents, peut se sentir hostile envers les professeurs, les policiers et d'autres personnes en autorité; l'homme qui honnit sa deuxième femme parce qu'elle possède des traits communs avec sa mère ou sa première femme.

Les sentiments de supériorité: ils consistent à compenser ses sentiments cachés d'infériorité en se considérant comme doué de caractéristiques meilleures que celles qu'on possède effectivement. Exemples: le révolutionnaire qui, pour arriver à la tête, fonde un groupe bien à lui qui ne diffère que peu de celui dont il s'est séparé; l'homme qui, tout en vivant d'une façon irresponsable, croit que le monde lui doit tout à cause de la supériorité qu'il s'attribue.

Réaction contraire: elle consiste à refuser de reconnaître certains sentiments (par exemple l'anxiété et l'hostilité) et à exprimer inconsciemment l'émotion contraire. Exemples: la mère qui, en vérité, déteste son fils, mais qui l'étouffe d'affection et soutient qu'elle l'adore; l'individu qui se sent facilement jaloux des succès de son ami, mais refuse de le reconnaître et se fait le meilleur propagandiste des succès de son ami.

Le refus d'agir: il consiste à éviter ou à retarder une action ou une épreuve dans laquelle on craint d'échouer, et à se dire ensuite qu'on pourrait réussir si on s'y mettait vraiment. Exemple: l'étudiant qui ne travaille pas jusqu'à la fin du semestre, se présente aux examens sans être suffisamment préparé puis se dit que s'il avait travaillé plus fort il aurait merveilleusement réussi.

La rigidité et la compulsion. Les "névrosés" se sentent menacés, peureux. En s'efforçant d'atteindre un plus grand sentiment de sécurité, ils adoptent souvent un ensemble de règles arbitraires auxquelles ils se conforment rigidement. Parce qu'ils redoutent de se tromper ou de perdre le contrôle de leurs idées ou de leurs actions, ils ont tendance à choisir certains aspects de leur vie qu'ils *peuvent* aisément contrôler et à ensuite s'y tenir compulsivement. Ils inventent souvent des rites magiques — comme par exemple de s'imposer un certain nombre de gestes prédéterminés avant de se coucher — pour se donner à eux-mêmes le sentiment que quelque puissance inconnue les protégera tant qu'ils s'en tiendront à ce rituel.

Une étudiante que je recevais emportait avec elle six crayons bien aiguisés à chaque séance d'examen et les alignait soigneusement devant elle. Elle ne s'en occupait plus ensuite et écrivait avec un stylo. Elle pensait que si elle oubliait une partie de ce qu'elle avait étudié, les six crayons l'aideraient à s'en souvenir. Après avoir acquis plus de confiance en elle-même après plusieurs séances de thérapie, elle se présenta à ses examens sans les six crayons magiques, car elle en était venue à se fier plus à elle-même qu'à un rituel spécial.

La timidité et l'isolement. Parce qu'ils croient qu'ils peuvent facilement gaffer et que les autres vont remarquer leurs erreurs, d'innombrables "névrosés" se conduisent avec timidité et se retirent dans la solitude. Du côté positif, ils peuvent occuper des postes solitaires comme un travail isolé dans un laboratoire ou en forêt comme garde-chasse. Du côté négatif, ils peuvent en arriver à éviter les gens, à s'enfermer dans leur chambre, à vivre comme des ermites. Ils s'inscrivent ainsi dans l'un des plus fréquents cercles vicieux névrotiques: parce qu'ils ont peur des autres ils se retirent dans la solitude et augmentent ainsi leur peur.

Un jeune homme de vingt-deux ans avait une peine immense à se tirer du lit le matin. Quand finalement il se mettait en route pour le travail, il se tenait debout dans le coin du wagon de métro, la face tournée vers la cloison pour que personne ne le voie. Il apportait son déjeuner au travail et restait seul dans son bureau à l'heure du midi. A son retour chez lui le soir, il mangeait rapidement puis se mettait au lit. Il était si timide qu'il ne regardait littéralement jamais les gens dans les yeux; quand enfin il réussit à poser ce geste sans rougir et sans détourner les yeux, il fut aussi fier que s'il avait été décoré de la Croix de guerre.

Les comportements antisociaux et psychopathiques. Beaucoup de "névrosés" s'engagent tôt dans le chemin de la révolte et tentent de compenser leurs secrets sentiments d'infériorité en agissant comme des "durs". Quelques-uns vont jusqu'au bout de ce chemin et posent régulièrement des actes délinquants ou criminels. Bien que certains psychologues considèrent ces "psychopathes" comme des cas spéciaux à la personnalité déviée, ma propre expérience à la suite du contact avec des dizaines d'entre eux m'a convaincu que leur "psychopathie" n'est, au fond, qu'une défense qu'utilisent ces individus souvent troublés et effrayés pour s'armer contre le sentiment sous-jacent qu'ils ont d'être rejetés et contre leur extrême sensibilité. Peu de "névrosés" peuvent être appelés justement "psychopathes", mais si l'on cherche bien sous les apparences d'un comportement psychopathique, on trouve souvent une infrastructure névrotique.

Il y a quelques années, lorsque j'étais psychologue chef au *New Jersey Department of Institutions and Agencies,* j'ai rencontré un jeune homme qui possédait un volumineux dossier criminel, comprenant des cambriolages, des vols à main armée et des vols de voitures. Quand je le rencontrai, il venait tout juste d'être arrêté pour avoir abattu une amie, la rendant infirme pour la vie, parce qu'il s'opposait jalousement à ce qu'elle porte des vêtements collants qui révélaient ses formes plantureuses aux autres mâles. Il semblait n'avoir aucun regret de ce geste, pas plus que de ses autres actes criminels. Il présentait un remarquable détachement émotif.

Au cours de notre entrevue, je posai à cet homme quelques questions habituelles sur ses activités sexuelles, entre autres sur ses relations bucco-génitales avec des femmes. "Qu'est-ce qui vous prend de me poser cette question?" interrompit-il agressivement. "Qu'est-ce qui pourrait bien me faire faire des choses comme celles-là?"

"Vous voulez dire, demandai-je, que vous trouvez que ces actes sont mauvais?"

"Mauvais! Et comment! Et de plus, qu'est-ce que les autres hommes penseraient de moi s'ils apprenaient que je fais ces choses? Je ne pourrais jamais les regarder en face!"

Sous l'écorce psychopathique la plus rugueuse on peut donc trouver souvent l'hypersensibilité du névrosé.

Les symptômes psychosomatiques et l'hypocondrie. Beaucoup de maladies physiques ont une composante névrotique. Les gens se rendent souvent malades à force de s'inquiéter, gardant leurs muscles et leur système nerveux dans un état hypertendu, favorisant ainsi dans leur organisme l'apparition de troubles comme les ulcères, l'hypertension, l'asthme et l'arythmie cardiaque. De plus, quand ils contractent effectivement une maladie physique, il est fréquent qu'ils la prolongent ou l'aggravent en l'utilisant comme excuse pour leurs troubles émotifs.

L'un de mes nombreux clients hypocondriaques se plaignait qu'il n'arrivait pas à cesser de s'inquiéter d'être sérieusement malade. S'il avait mal à la tête, il se voyait affligé certainement d'une tumeur cérébrale. Une simple toux le convainquait qu'il avait la tuberculose. Un brûlement d'estomac lui faisait penser qu'il était cancéreux. Toutes ces maladies, il les voyait comme fatales.

"Pourquoi passez-vous votre temps à vous tourmenter à propos de toutes ces maladies, demandai-je?"

"Eh! bien, voyons... parce que je pourrais mourir, n'est-ce pas? Et à mon âge, alors que j'ai eu si peu le temps de vivre?"

"Peut-être, dis-je. Mais avez-vous jamais considéré que vous passez tant de temps à vous tourmenter avec l'idée que vous pourriez mourir jeune que vous ne vous donnez en fait aucune chance de jouir de la seule vie que vous vivrez jamais? Dans ces conditions, quel intérêt avez-vous à vivre?"

"Pas beaucoup, à votre sens."

"Vous voulez dire, *"à votre sens"*. Il n'y a que vous qui puissiez gaspiller votre vie à vous tracasser avec quelque chose qui échappe presque complètement à votre contrôle."

"Je n'y avais jamais pensé encore de cette façon, répondit le client. Vous avez peut-être raison." Peu de temps après, il se mit à *penser* plus et à se *tracasser* moins.

Comportements étranges et bizarres. Ce ne sont pas tous les excentriques, comme nous l'avons fait remarquer auparavant, qui se conduisent de façon névrotique, mais un bon nombre d'entre eux le font. Comme ils n'arrivent pas à trop bien se tirer d'affaire dans ce monde, ils essaient souvent de créer leur monde à eux et s'inventent toutes sortes de recettes bizarres et étranges pour vivre.

Quand les "névrosés" atteignent un certain degré de bizarrerie et se détachent entièrement du réel, on les appelle "psychosés".

On peut considérer la névrose comme une fuite relativement limitée du réel; la psychose se présente comme une forme extrême d'abandon du réel et de fuite dans un monde illusoire et imaginaire. Les "psychosés" se méprisent ordinairement encore plus que les "névrosés" et, en conséquence, les mécanismes de défense qu'ils érigent entre l'acceptation d'eux-mêmes et leur propre identité sont plus dramatiques que ceux des névrosés. Ils consistent souvent en hallucinations, en projections très marquées, en sentiments de toute-puissance et le reste. Il arrive aussi que les "psychosés" s'accablent exagérément de leurs "fautes" et tombent dans une profonde dépression.

Les "névrosés" sont également susceptibles de se livrer à des comportements étranges, bien qu'il ne s'agisse pas ordinairement d'actions telles qu'elles puissent justifier l'entrée dans un hôpital psychiatrique.

Le concierge d'une maison où j'ai déjà habité passait son temps à inventer des systèmes destinés à lui permettre de gagner aux courses. Son plan consistait essentiellement à doubler sa mise et à continuer à la doubler jusqu'à ce qu'il gagne. Cet homme ne manquait pas d'intelligence et il avait une grande expérience des courses; il se rendait compte que son système ne pouvait réussir que s'il pouvait compter sur des ressources financières presque illimitées. Malgré ses ressources limitées, il persistait à expérimenter un système, puis un autre, et ses pertes étaient considérables. Mais il désirait tellement réussir pour démontrer à tous son génie et ainsi abolir magiquement ses sentiments d'infériorité qu'il continuait à inventer des combinaisons bizarres, prétendument infaillibles.

La dépression. Quelques personnes réussissent à compenser assez bien leurs sentiments d'insécurité et semblent extérieurement à l'aise et heureuses. Mais les "névrosés" moyens éprouvent souvent beaucoup de sentiments dépressifs. Ils sont portés à se prendre en pitié et à entretenir des pensées très pessimistes. Comme Aaron T. Beck et Paul A. Hauck l'ont démontré, dépression et névrose vont souvent de pair.

Une amie de ma famille, âgée de 60 ans, se déprimait elle-même mieux que quiconque. A chacune de ses visites, elle racontait avec force larmes la vie affreuse qu'elle avait menée depuis les derniers jours. Nuit après nuit, disait-elle, elle restait éveillée, parfois jusqu'au matin, à pleurer, gémir, soupirer et déplorer son sort. Et quelle était l'occasion de son désespoir? Le fait que son seul fils semblait décidé à demeurer célibataire et ainsi à ne pas lui donner de petits-enfants masculins (sa fille, mère de deux fillettes, avait passé l'âge de la maternité). Parce que cette "horrible" situation, à son avis, ôtait tout sens à sa vie, il eut été aussi bien qu'elle ne vienne jamais au monde! Quand j'essayai de lui montrer que cette situation n'avait pas pu causer sa dépression, mais que cette dépression avait bien été causée par son attitude irréaliste et infantile à propos de la situation, elle me considéra comme une brute dénuée de sentiments humains et incapable de comprendre le rôle d'une femme dans la vie.

L'égocentrisme et l'incapacité d'aimer. La plupart des "névrosés" ont un désir désordonné de recevoir de l'amour et un désir microscopique d'en donner. Ils se sentent si préoccupés par eux-mêmes et leurs propres problèmes qu'ils ne disposent ni du temps, ni de l'énergie ni vraiment du goût pour s'intéresser vraiment à une autre personne. Ils "tombent en amour" souvent violemment, habituellement en s'agrippant de façon compulsive aux personnes de l'amour desquelles ils croient avoir besoin. Mais ils semblent avoir peu de capacité d'aimer: de vouloir aider d'autres personnes à s'épanouir et à chercher le bonheur à leur propre manière.

A ce propos, j'ai souvenir d'une des premières jeunes filles que j'ai fréquentées à l'adolescence. A cause de ce que je compris plus tard être sa forte tendance à se déprécier, elle avait un extraordinaire "besoin" d'amour, d'approbation, d'adoration. Quand elle rencontrait un garçon qu'elle croyait susceptible de satisfaire ses exigences, elle s'attachait rapidement et violemment à lui, et prétendait l'aimer passionnément. Quand elle découvrait que son amoureux ne désirait pas la vénérer exclusivement pour lui remonter le moral mais avait bien plutôt des désirs profonds lui-même, elle interprétait cette découverte comme une affreuse trahison, affirmait qu'il ne l'aimait pas d'un amour "vrai" et interrompait la relation pour chercher un autre grand amour. En autant que je sache, son incessante et vaine recherche de l'amour idéal s'est continuée jusqu'à ce jour, à travers plusieurs mariages et d'innombrables liaisons. Cependant, parmi bien d'autres, elle n'a jamais cherché à répondre à la question suivante: "Pourquoi est-ce que j'exige la perfection en amour?"

La tension et la difficulté à se détendre. Parce qu'ils se préoccupent sans cesse de leur conduite "bonne" ou "mauvaise", les "névrosés" se détendent rarement. En conséquence, ils éprouvent une tension qui peut se manifester par des maux physiques, un manque de coordination, ou l'incapacité à rester assis tranquillement. Il en résulte parfois une tension psychologique, et ils déclarent qu'ils se sentent émotivement engourdis, qu'ils aimeraient mettre leur cerveau au réfrigérateur, ou qu'ils ont peur de quelque chose sans savoir de quoi. Sans un certain effort, on n'accomplit rien et on ne va nulle part. Cependant, le "névrosé" dépense des efforts inutiles, entravés par ses peurs irrationnelles et par l'importance exagérée qu'il attache à l'opinion des autres.

J'ai rencontré une jeune femme qui ne parvenait que très difficilement à décrire sa tension. Elle avait honte de se ronger les ongles. Mais au delà de cette information, elle ne parvenait pas à me dire ce qu'elle sentait. Elle s'exprimait vaguement: "Je ne sais quoi vous dire... Je ne peux pas vous dire ce que je ressens... Je ne sais pas du tout... Je n'en sais rien... je ne veux rien faire... non, ce n'est pas ce que je veux dire:

je ne sais pas ce que je veux faire. Je ne sais pas très bien comment dire..."

Ce n'est qu'après de nombreuses questions que j'arrivai à savoir qu'elle se sentait très agitée. Elle pensait qu'elle ne pouvait demeurer dans sa chambre plus de quelques instants; elle ne se sentait pas à l'aise de parler même à ses parents; elle n'arrivait à lire que quelques pages à la fois; en fait, elle ne faisait rien, même pendant un court laps de temps, sans sauter sur ses pieds et vouloir faire autre chose.

Pourquoi cette femme se sentait-elle si tendue? Parce que ses parents s'opposaient à la plupart des activités qu'elle voulait entreprendre, comme de faire du patinage de fantaisie; elle s'abstenait de faire ces choses ou elle les faisait avec un sentiment de culpabilité. Par ailleurs, ses parents la poussaient à faire ce qu'elle ne voulait pas faire, par exemple étudier les arts. Aussi, ou bien elle refusait de faire ces choses et devenait hostile aux pressions exercées par ses parents, ou bien elle les faisait et s'imposait à elle-même des sentiments de culpabilité. Elle ne parvenait à exercer un peu d'autonomie qu'en se révoltant contre ses parents, puis elle se reprochait sa révolte. Rien d'étonnant à ce qu'elle se sentit rarement détendue!

La surexcitation et les manies. Certains "névrosés", plutôt que de se déprimer, se surexcitent. En tentant de compenser leurs sentiments conscients ou inconscients d'inaptitude, ils se comportent comme des vedettes. D'autres, pour fuir leurs propres troubles émotifs, tentent de se tenir constamment stimulés par toutes sortes d'activités fébriles; la vie de tous les jours les ennuie et les déprime.

Voici un exemple de cette surexcitation névrotique. Il s'agit d'un homme de trente-six ans dont les parents se sont peu occupé pendant sa jeunesse, choisissant plutôt de concentrer leur attention sur sa soeur aînée. Comme il continue à se lamenter à ce sujet, notre homme ne peut supporter de ne pas être remarqué et applaudi. Quoiqu'il ne soit pas vraiment maniaque, il devient facilement déprimé et bougon. S'il n'attire pas constamment l'attention des autres, il pense qu'on va le trouver inférieur. Comme il est extrêmement centré sur lui-même, il s'intéresse peu aux autres et n'a d'autre objectif que celui de se mettre en valeur. En conséquence, il cherche continuellement à attirer l'attention, à se trouver au centre de quelque groupe. Si ce groupe s'engage dans quelque activité étrange et exceptionnelle, tant mieux! Il participe ainsi à l'admiration qui, croit-il, est dirigée vers ce groupe. Il déclare: "N'importe quoi, pourvu que ce soit excitant!" Mais au fond, il veut dire: "N'importe quoi, pourvu que cela m'empêche de penser sérieusement à moi-même et de faire face à mes sentiments d'infériorité".

L'inertie. Beaucoup de "névrosés" se sentent peu énergiques et n'ont pas d'objectifs bien définis dans la vie. Ils font la grève contre la vie, puisqu'ils pensent que l'univers leur doit de leur faciliter la vie et qu'ils sont dispensés du travail ardu et de la discipline pour atteindre leurs buts. Au fond d'eux-mêmes, ils veulent arriver à quelque chose, mais aussitôt qu'ils rencontrent une difficulté, ils abandonnent et se retirent. Il leur est ensuite difficile de se remettre au travail parce que les résultats initiaux sont piètres; ces résultats les découragent et les amènent à être encore plus passifs et inertes.

Un homme de vingt-six ans vint me consulter à propos de son impuissance sexuelle. Nous découvrîmes en peu de temps que son père et sa mère travaillaient dur et consacraient presque tout leur temps à construire leur entreprise commerciale. Il leur reprochait cela et prétendait que le temps que ses parents consacraient à leurs affaires aurait dû lui être consacré.

A cause de sa hargne envers ses parents, il détestait le travail et passait le plus clair de son temps à fréquenter les salles de billard et les salles de quilles. Dans ses relations sexuelles, il refusait de "travailler" à satisfaire ses partenaires et se rendait ainsi impuissant.

Ce n'est qu'après qu'il se fut décidé à considérer nettement sa "grève" contre le travail et contre les femmes qu'il se mit à bien travailler et qu'il redevint sexuellement capable.

L'ambition exagérée et la compulsion. Certains "névrosés" compensent pour leurs sentiments d'infériorité en se faisant travailler comme des esclaves. Non pas que tous les travailleurs acharnés soient classifiables comme "névrosés". En fait, les personnes qui s'acceptent bien elles-mêmes travaillent habituellement plus fort que la moyenne des gens. Mais les "névrosés" travaillent à l'excès parce qu'ils se sentent si menacés qu'ils pensent avoir besoin de la renommée et de la richesse. Par une activité incessante, ils peuvent s'empêcher de trop ressentir la souffrance psychologique qu'ils s'infligent à eux-mêmes. Le travail leur fournit souvent un prétexte pour éviter les choses qu'ils redoutent tant, par exemple de s'engager dans des rapports amoureux ou de participer à des activités sociales.

Une dame de ma connaissance avait atteint une réputation enviable pour ses romans historiques. Elle se sentait pourtant déprimée et un jour que je discutais avec elle de ses problèmes, elle admit ouvertement que la plus grande part de son succès de romancière était le fruit d'un travail acharné.Là où certains écrivains mettaient des mois de recherche, elle mettait des années. Elle passait des heures à la bibliothèque, retravaillait sans relâche ses intrigues et ses personnages, dressait des cartes et des tables généalogiques complexes et arrivait à un tel degré de perfection que ses lecteurs s'émerveillaient toujours de la précision de ses détails. A juste titre d'ailleurs, puisque ces détails elle les extrayait de la substance de sa propre vie.

Elle admettait que même si elle avait connu le succès financier et littéraire depuis son adolescence, elle n'avait jamais fait grand-chose pour elle-même, pour son propre bonheur. Elle recherchait avec tant d'ardeur le plus grand succès possible et les critiques les plus favorables, qu'elle s'accordait rarement des vacances, des divertissements ou même du repos à la maison. Elle vivait surtout pour son travail et avait annihilé sa personnalité.

La fuite et le refus d'assumer ses responsabilités. Plutôt que de faire face aux difficultés sérieuses et de s'appliquer à les régler, les "névrosés" fuient souvent à la seule perspective d'un problème. Ils refusent de se discipliner eux-mêmes ou d'assumer les responsabilités ordinaires de la vie. Ils essayent souvent de vivre comme d'éternels enfants et, s'ils se marient, vivent une vie de mari-enfant ou d'épouse-enfant. S'ils peuvent littéralement fuir les contraintes normales, ils le font: vers une nouvelle maison, un nouvel emploi, un nouveau ménage, de nouveaux vêtements. Quand ils ne peuvent pas fuir, ils se révoltent et boudent.

L'un de mes clients les plus difficiles était un jeune homme doté d'un véritable génie pour fuir les contraintes de l'existence. Il ne gardait jamais le même emploi plus de quelques semaines, prétendant trouver le travail trop dur, le patron intolérable, les heures de travail impossibles. Il ne pensait jamais à épouser aucune de ses amies, déclarant que l'une était trop exigeante, l'autre trop soumise, la troisième trop ceci ou cela. Il ne votait jamais, considérant que l'inscription au bureau d'élection et les procédures de votation constituaient une tâche trop pénible qui prenait trop de son temps.

Je laissai ce client errer en thérapie pendant plus d'un an, période pendant laquelle il inventa d'innombrables excuses à sa passivité. Je passais mon temps à lui rappeler qu'il se nuisait à lui-même par cette attitude. Finalement, après lui avoir fourni deux fois plus de corde qu'il ne lui en fallait pour se pendre, et après qu'il eut procédé à faire exactement cela, il commença à persister dans un emploi et à construire une relation avec une femme. Je le félicitai de son progrès.

"Je pense bien que je vous ai fait une surprise", dit-il. "Laissez-moi vous expliquer les raisons de ce changement. Cela fait dix-huit mois que je travaille avec vous en thérapie, ce qui semble plutôt long pour ce genre de thérapie. Mais j'ai appris une chose pendant ces mois, et même si je n'apprenais que cette chose, elle me restera dans l'esprit jusqu'à la fin de mes jours."

"Qu'est-ce que c'est"? demandai-je.

"C'est simplement que, même si je ne trouve pas que de se lever chaque matin et reprendre le boulot est la chose la plus folichonne au monde, je sais maintenant et je me souviendrai toujours, que ne *pas* travailler m'apparaît être encore pire".

"Que voulez-vous dire?"

"Je veux dire que si travailler régulièrement et assumer certaines responsabilités me cause souvent de l'ennui — bien que cet ennui diminue à mesure que je continue — *ne pas* travailler et *ne pas* assumer ces responsabilités me cause bien plus d'ennui et de souffrance. Je perds mon temps et je diminue mon plaisir présent et futur quand je ne travaille pas. Et je me tourmente tellement avec ce que je devrais faire que je ne jouis pas du moment présent".

L'alcoolisme et l'usage des drogues. Les "névrosés" utilisent souvent l'alcool et les drogues pour fuir la réalité et faire baisser temporairement leur anxiété. Malheureusement, ces "fuites" se retournent contre l'usager, puisqu'elles contribuent à aggraver le trouble et mènent ainsi à un désir croissant pour des doses plus considérables.

Même quand les drogues et l'alcool donnent des résultats temporaires, les usagers savent que sans leur aide, ils n'arrivent pas à faire ce qu'ils craignent de faire, et ainsi, leur confiance en eux-mêmes ne s'accroît pas. Au contraire, souvent ils se détestent d'utiliser ces drogues, et il en résulte l'habituel cercle vicieux névrotique.

Un homme qui présentait des symptômes classiques d'alcoolisme occupait un excellent poste; il était cependant supervisé par un contremaître plutôt rigide. Il aimait son travail mais détestait son contremaître. Ce n'est qu'avec difficulté, cependant, qu'il s'avouait cette haine, parce qu'elle ressemblait trop aux sentiments qu'il avait envers son père, qui présentait des caractéristiques semblables à celles du contremaître. Pour éviter ce conflit, il s'absentait souvent de son travail, en se donnant comme excuse qu'il ne se sentait pas très bien.

Ses absences se multiplièrent à un tel point qu'il s'en rendit coupable et se sentit honteux de téléphoner pour avertir de son absence. Son contremaître lui téléphonait alors pour demander pourquoi il n'était pas au travail. Dans sa crainte de ces appels, il se mit à boire assez pour ne plus pouvoir entendre le téléphone. Dans d'autres circonstances, il fixait l'appareil en comptant les coups. Quand enfin la sonnerie cessait, il se sentait si coupable qu'il s'enivrait pendant plusieurs jours. Après avoir cuvé son vin, il retournait au travail pour quelques jours puis reprenait son manège d'absences et de soûleries. Quand il se décida à regarder en face son hostilité inconsciente envers son père, il se rendit compte qu'il avait transféré cette hostilité envers son contremaître, il découvrit ce qu'il faisait pour se mettre lui-même en colère et pour exprimer cette colère. Avec l'aide de la psychothérapie émotivo- rationnelle, il s'attaqua à ses croyances infantiles, particulièrement à celle qu'il aurait dû avoir un père et un patron gentils et agréables. Quand, enfin, il cessa de se condamner lui-même et de condamner les autres, mais se borna à critiquer et à tenter de changer son propre comportement et le leur, il perdit son habitude compulsive de boire.

Auto-dépréciation et auto-punition: En plus de se déprécier eux-mêmes à cause de leurs caractéristiques négatives, certains "névrosés" se déprécient et se punissent à cause de leur "péché" majeur: leur névrose. Ils commencent par se créer des exigences irréalistes et perfectionnistes qui les amènent à se sentir totalement incapables; ensuite ils font s'accomplir leurs propres prédictions en posant des actes qu'ils pensent "ne pas pouvoir s'empêcher de faire". Alors, constatant leur "inévitable" faiblesse ou leur "incorrigible" méchanceté, ils posent des actes avec encore plus de faiblesse ou de méchanceté. Ceci les amène à se fustiger *eux-mêmes* plutôt qu'à juger leur *conduite* déficiente.

Comme exemple de sinistre auto-punition, je me rappelle un administrateur dans une institution où je travaillais. Il était persuadé que les relations sexuelles n'étaient autorisées que quand elles aboutissaient à la procréation. Comme il était toujours au bord de la faillite financière, sa femme et lui ne pouvaient pas se permettre d'augmenter le nombre de leurs enfants et en conséquence, ils utilisaient régulièrement des méthodes contraceptives. Le mari s'en sentait si coupable que, très souvent, il se disputait avec sa femme pendant le jour, rendant ainsi presque impossibles des relations sexuelles satisfaisantes le soir. Dans les rares occasions où il réussissait à avoir un contact sexuel complet, il s'arrangeait soit pour ne pas réussir ou pour n'avoir pas de plaisir.

L'une de mes clientes qui tentait de perdre du poids trichait continuellement son régime alimentaire. Souvent, après avoir triché un peu, elle se punissait délibérément en mangeant une demi-boîte de bonbons ou en buvant plusieurs bouteilles de bières. Quand elle parvint à adopter une attitude plus réaliste envers la faiblesse humaine et à s'accepter elle-même avec ses comportements stupides, elle fit de vrais progrès et perdit du poids graduellement.

L'idée principale de ce chapitre se résume ainsi: les "névrosés" ont en théorie la capacité d'agir de façon efficace, créatrice, sans anxiété ni hostilité. Cependant, parce qu'ils tiennent mordicus à des idées irrationnelles, non réalistes — par exemple qu'ils doivent mériter l'approbation de tous, qu'ils ne *devraient* pas être frustrés, ou qu'ils ont perpétré une *horreur* s'ils subissent un échec important — ils créent et perpétuent (surtout par un langage intérieur constamment négatif) des émotions troubles et malsaines.

Quand les "névrosés" fabriquent de l'inquiétude exagérée, de la rage, de la culpabilité, de la dévalorisation et de la dépression, ils peuvent choisir de ressentir consciemment ces émotions dévalorisantes ou d'ériger des mécanismes de défense pour ne pas les ressentir. Ces mécanismes de défense peuvent prendre la forme du mensonge à soi-même, de la projection, de la rationalisation, de la fuite, des troubles psychosomatiques, de l'alcoolisme, de l'usage des drogues, du comportement asocial, de la compensation, ou toute autre forme d'échappatoire.

Bien souvent, à cause de leur philosophie de la damnation et de l'expiation, les "névrosés" se détestent parce qu'ils n'atteignent pas la perfection qu'ils croient devoir atteindre. Ensuite, une fois qu'ils ont développé des troubles émotifs et des comportements malsains, ils se détestent encore davantage à cause de leur névrose. Ainsi s'établit le cercle vicieux: en conséquence de leurs croyances erronées, ils se conduisent mal, se condamnent d'agir ainsi et il en résulte un accroissement de leurs malheurs émotifs!

Chapitre 3

Comment prennent naissance les troubles émotifs

Si vous voulez vivre plus agréablement avec des gens émotivement troublés, il vaut mieux en connaître davantage sur les origines de ces troubles. Penchons-nous maintenant sur cette question.

Pour autant que nous le sachions, nul ne vient au monde "névrosé", quoique certains facteurs héréditaires puissent prédisposer une personne à devenir éventuellement troublée alors qu'une autre, même dans des conditions plus difficiles, puisse se développer sainement.

Nous apprenons le comportement névrotique sous l'influence de trois facteurs principaux: 1. nos tendances innées à penser, ressentir et agir; 2. les caractéristiques de notre milieu physique, soicial et culturel; 3. les manières que nous choisissons pour agir ou *nous conditionner* en réaction aux expériences que nous vivons.

La névrose, comme la syphilis et la variole, peut être appelée une maladie sociale. Nous l'attrappons en partie de nos parents et de ceux qui nous entourent. Nous sommes éduqués par d'autres humains et ils contribuent à nous enseigner un comportement névrotique. Mais c'est nous qui décidons d'accepter

— et, parfois, de rejeter — ces enseignements absurdes.

Nous faisons nos premiers pas vers la névrose par les attitudes que nous acquérons (ou forgeons nous-mêmes) envers nous-mêmes et les autres pendant l'enfance. Nous acquérons des attitudes irrationnelles, croyons que certains éléments (comme recevoir de l'affection ou réussir) *doivent* exister et que certains autres éléments (comme la frustration ou la nécessité de se débrouiller seul) ne *doivent pas* exister. Ces idées irréalistes nous amènent habituellement à détester les autres et à nous détester nous-mêmes.

Les idées que vous avez sur vous-mêmes et sur les autres, vous les avez acquises et apprises, en partie, de vos parents et des autres personnes qui vous ont influencé pendant votre enfance. Une grande partie de ce qu'on appelle votre "moi" ne vous vient pas seulement de vous; une bonne part de ce "moi" découle de votre contact avec d'autres humains: votre "moi" social. Vous avez appris que vous possédiez certaines caractéristiques qui vous différencient des autres, et cela vous l'avez appris de ces mêmes autres. Ainsi, vous avez appris à appeler tel type d'homme "beau" et tel autre type "laid", vous avez appris à appeler tel type de femme "intelligente" et tel autre "stupide". Et vous avez appris que sur diverses échelles s'étendant de la beauté à la laideur ou de l'intelligence à la stupidité, vous vous situez à un certain point alors que d'autres personnes se situent à d'autres points.

Cet apprentissage, par ailleurs, se déroule de manière relative ou accidentelle, puisque vous apprendrez une chose si vous êtes élevé dans une certaine partie du monde ou dans telle famille, et autre chose si vous êtes élevé ailleurs. Dans un milieu social donné, par exemple, vous pouvez avoir appris à considérer une peau de couleur foncée comme "belle" et donc vous, qui avez la peau très foncée, êtes très "beau". Mais si vous aviez été élevé dans un autre milieu social, vous pourriez considérer les gens à la peau foncée comme "laids" et vous voir en conséquence comme très "laid".

Ainsi donc, votre attitude envers vous-même, votre conception de vous-même, dépend en bonne partie des conceptions courantes dans le milieu social, la région géographique ou la famille dans lesquels vous avez grandi. Si vous en venez à considérer l'intelligence et la beauté comme des caractéristiques valables, et que vous trouvez en vous ces caractéristiques, vous aurez tendance à vous voir comme "bon" et à avoir une conception positive de vous-même.

Mais si votre éducation vous amène à vous croire stupide et laid, vous aurez tendance à vous considérer comme "mauvais" et à avoir une conception de vous-même négative. Que vous possédiez en fait de l'intelligence ou des traits agréables peut avoir fort peu d'influence sur la manière dont vous vous jugez, puisqu'il est possible que vous acceptiez sans réfléchir les opinions des autres, même si ces opinions peuvent être partiellement ou complètement erronées.

Votre conception originelle de vous-même, en d'autres mots, dépend habituellement des attitudes que les autres adoptent envers vous ou de la propagande dont ils remplissent vos oreilles. Si ceux qui jouent un rôle important dans votre vie vous blâment souvent, vous vous blâmerez probablement vous-même. Ceci ne veut pas dire que votre conception originelle de vous-même demeurera inchangeable et déterminante. Vous pourrez, plus tard dans la vie, la changer pour le meilleur ou pour le pire. Il n'en reste pas moins que cette conception de vous-même, développée au début de votre vie, a une importance considérable et qu'elle tend à servir de modèle à vos attitudes et à vos comportements ultérieurs.

Parce que, dans notre société, nous adressons à nos enfants beaucoup plus d'interdictions que de directives positives, et parce que nous passons notre temps à leur dire qu'ils ont agi méchamment en salissant nos tapis, en renversant nos pots de fleurs ou en refusant de s'endormir à l'heure prévue, nous portons des milliers de nos jeunes — en fait, presque tous — à se former des conceptions assez négatives de leur conduite. Ensuite, parce que les humains ont tendance à confondre leurs *traits distinctifs* avec *eux-mêmes* et à conclure faussement: "Si j'ai un *trait distinctif* mauvais *je* suis mauvais", beaucoup d'enfants développent une conception négative *d'eux-mêmes*. Ces conceptions négatives, ou sentiments d'être incapable de bien faire ou de ne rien valoir, constituent l'une des bases des névroses postérieures.

En d'autres mots, nous pourrions dire que nous avons tendance, de nos jours, à contrôler les activités des enfants non en les battant ou en les punissant, mais plutôt en leur expliquant que certains de leurs actes sont "méchants" ou "mauvais" et que personne, pas même leurs parents, ne *les* aimera, s'ils continuent à *agir* ainsi. Puisque les enfants (et les adultes!) ont une tendance abusive à généraliser, nous les aidons ainsi à tenir pour vraies plusieurs idées fausses: a) qu'ils doivent bien agir et ainsi montrer leur "bonté"; b) qu'ils devraient considérer comme désastreux le fait de mal agir; c) qu'ils doivent travailler à acquérir l'amour et l'approbation de presque tout le monde; et d) qu'ils devraient se sentir très misérables s'ils n'y parviennent pas.

Si les enfants acceptent avec soumission ces idées et grandissent sans les changer, ils se condamnent éventuellement eux-mêmes à la névrose. Ils passeront le reste de leur vie à tenter de réussir l'impossible: toujours s'efforcer de paraître "bons" et obtenir toujours l'amour et l'approbation de tous. Et puisqu'ils ne réussiront pas à accomplir cette tâche impossible, et qu'ils craindront d'échouer plus tard, même *s'ils réussissent maintenant,* ils s'infligeront des sentiments profonds d'incapacité et de haine d'eux-mêmes accompagnés souvent d'une faible capacité à supporter les frustrations et d'une bonne dose d'hostilité en plus.

La plupart des personnes qui viennent me consulter sont dotées d'une intelligence au-dessus de la moyenne, puisque la thérapie recrute encore ses adeptes surtout parmi les personnes possédant une formation plus avancée que celle de la moyenne des gens. Pourtant, presque tous mes clients sont persuadés qu'ils sont affectés de défauts fondamentaux et impossibles à changer.

J'ai connu un collégien exceptionnellement grand, beau et intelligent, qui composait de la musique et peignait des tableaux si admirablement que ses professeurs prédisaient qu'il deviendrait un excellent musicien et un grand peintre. Pourtant, non seulement se considérait-il si peu digne de la compagnie des femmes qu'il n'essayait jamais d'en rencontrer une, mais de plus il se livrait à des activités homosexuelles avec les compagnons les plus stupides et les moins cultivés qu'il pouvait trouver, de peur que d'autres hommes ne l'acceptent pas.

La mère de cet étudiant faisait partie de la "haute société" et elle avait confié son éducation presque entièrement à des bonnes et à des serviteurs. Elle ne cessait de critiquer son fils chaque fois que l'enfant posait un geste "inconvenant" ou "indigne d'un homme". Un jour que l'enfant avait bu un peu trop de punch à l'une de ses soirées, il s'endormit sur un banc dans le jardin et mouilla sa culotte. Elle le réveilla sans cérémonie et le gronda sévèrement devant les invités.

A une autre occasion, elle le trouva en train de jouer dans sa garde-robe et l'accusa de chercher à la surprendre dévêtue.

Pour compliquer les choses, le père de cet étudiant, rarement présent à la maison, ne cessait d'avoir des liaisons publiques avec d'autres femmes. Il finit par divorcer quand l'enfant avait neuf ans et ne manifesta aucun goût de le revoir, s'abstenant même de répondre aux invitations à assister aux cérémonies de fin d'études primaires et secondaires de son fils. L'image que le fils avait de lui-même concordait pour l'essentiel avec celle que ses parents avaient de lui. Il se voyait comme un embarras qui ne méritait ni amour ni attention.

Ce jeune homme reconnaissait objectivement qu'il réussissait bien des choses, entre autres dans le domaine de la musique et de la peinture, mais il continuait à se percevoir comme une personne sans valeur, essentiellement non aimable. Il fut surpris de constater que moi, en tant que thérapeute, je le trouvais acceptable, indépendamment de ses succès. C'est en partie à cause de cette acceptation sans condition qu'il finit par cesser de se détester. Cependant, il lui fut beaucoup plus utile que je lui enseigne qu'il pouvait se donner le droit de jouir de la vie, même s'il échouait souvent et même si d'autres le jugeaient négativement.

Si vous arrivez à l'âge adulte habité de profonds sentiments d'auto-condamnation, vous pouvez faire plusieurs choses positives. Par exemple, vous pouvez examiner les origines de votre conception négative de vous-même et vous rendre compte que vous l'avez acquise en partie des enseignements erronés de vos premiers éducateurs et en partie de votre propre tendance à identifier erronément vos actes à votre personne. Vous pouvez ensuite vous atteler à la tâche qui consistera à combattre ce conditionnement en refusant systématiquement de vous étiqueter comme "mauvais" même si vous posez des gestes détestables. Puisque, comme tous les humains, vous êtes doté d'une grande capacité de vous tromper, vous pouvez mettre en question le présupposé qui affirme que vous *devriez* vous comporter d'une manière parfaite et exempte d'erreur. Enfin, même s'il vaut mieux pour vous que vous acceptiez le fait que vous faites certaines choses "mauvaises", nuisibles pour vous-même, vous pouvez vous demander: "Dois-je *toujours* faire les "bonnes choses?" et "*Faut-il* vraiment que j'obtienne l'approbation des autres quand j'agis "bien"?

Même en ayant à votre disposition ces techniques constructives pour combattre votre croyance en votre méchanceté et en votre non-valeur, il se peut bien que vous trouviez difficile de les employer. En effet, en tant qu'être humain, vous avez tendance à croire non seulement qu'il est important, mais encore qu'il est *absolument* et *suprêmement* important de bien agir et de mériter l'approbation des autres. En conséquence, vous avez tendance à devenir si affolé quand vous courez le risque d'agir "mal" ou d'être désapprouvé par les autres qu'il vous arrive souvent de devenir paralysé et de perdre presque complètement votre capacité d'agir intelligemment. Vous vous engagez alors sur le chemin de la névrose et vous vous efforcez désespérément de continuer à mériter l'estime des autres, même au prix de renoncer à faire ce que vous voulez vraiment faire durant la seule vie que vous vivrez jamais.

L'un de mes clients était le fils unique de parents qui étaient des membres fervents d'une organisation prônant une doctrine politique radicale. Le jeune homme n'accordait aucune importance à cette doctrine, mais il en accordait beaucoup à l'approbation de ses parents, lesquels tenaient beaucoup à ce qu'il participe activement à ce groupe. Chaque fois qu'il lui venait à l'esprit de laisser ce groupe, il s'inquiétait lui-même terriblement à l'idée qu'il allait ainsi perdre l'amour de ses parents et, en conséquence, il rejoignait le troupeau, en se détestant d'avoir abandonné ses idées et ses convictions à lui.

Quand ses amis lui soulignaient qu'il ne croyait pas vraiment aux idées de ses parents, mon client rétorquait qu'il y croyait vraiment et citait à l'appui ses états de service pour le groupe auquel ses parents appartenaient. Pourtant, d'une manière ou d'une autre, quand venait le temps de participer à une réunion politique, il tombait habituellement malade juste avant la réunion, ou s'endormait pendant le meeting, ou trouvait quelque autre moyen de ne pas y participer activement. Cependant, chaque fois qu'il essayait de se séparer du groupe, ses doutes, quant à la justesse de sa décision, le terrassaient. Il resta dans le troupeau même après avoir fait un bon bout de thérapie. Quand il décida finalement qu'il attachait plus d'importance à faire ce qui lui plaisait vraiment qu'à recevoir l'approbation de ses parents, son anxiété disparut.

Bien des gens — peut-être la plupart — refusent de regarder en face le problème de l'auto-condamnation. Ils croient faussement qu'en parvenant à obtenir l'approbation des autres, ils peuvent vaincre les sentiments d'incapacité dont ils se sont persuadés. Cette croyance semble hasardeuse pour plusieurs raisons. En premier lieu, les sentiments d'incapacité surgissent en fait des "besoins" radicaux d'approbation de ces gens; ainsi, plus ils croient qu'ils doivent obtenir l'amour et l'affection des autres, plus ils sentent qu'ils ne valent rien.

Au fond, les gens se condamnent parce qu'ils *pensent* qu'il faut que les autres les acceptent, et qu'ils craignent de ne pas obtenir cette acceptation. En conséquence, plus ils croient en avoir besoin, plus ils se sentent inférieurs quand ils ne la reçoivent pas.

En second lieu, si vous tentez de rehausser votre estime de vous-même en gagnant l'affection des autres, vous utilisez un moyen dangereux pour atteindre un objectif discutable. Si neuf personnes vous acceptent totalement, vous ne pourrez jamais être certain de la réaction de la dixième personne. Et même si vous gagnez l'affection de tout le monde, vous ne pourrez jamais savoir pendant combien de temps vous allez réussir à la mériter. Une acceptation de vous-même qui repose en grande partie sur ce que les *autres* pensent plutôt que sur votre propre décision de découvrir ce que *vous* aimez, vous amène à bâtir votre "estime" de vous-même sur des sables mouvants.

Après m'avoir rencontré quelques fois, une jeune femme arriva un jour en déclarant pathétiquement: "S'il vous plaît, docteur Ellis, dites-moi quoi faire. Je rencontre de nouvelles personnes tous les jours et chaque fois j'essaie de les convaincre de mes qualités exceptionnelles. Naturellement, après que je me suis comportée ainsi pendant quelques minutes, en me fendant en quatre pour démontrer combien j'agis intelligemment et délicieusement, ils se disent probablement dans leur for intérieur: "Vraiment, quelle sottise! Qui pense-t-elle donc tromper par ce manège?" Je m'aperçois bien de leur réaction. Et je m'efforce alors encore plus de les impressionner. Je finis toujours par me couvrir de ridicule. Je sais très bien ce que je fais tout en le faisant, mais je ne peux pas m'en empêcher. Que faire?"

"Vous rendez-vous compte," demandai-je, "de ce que vous me demandez de faire?"

"Non," dit-elle. "Quoi donc?"

"Vous voulez au fond que je fasse en sorte que toute personne que vous rencontrez vous aime immédiatement".

"Oui, je pense bien. C'est vraiment ce que je veux".

"Mais ce que vous me demandez de faire ne réussira jamais, pour au moins deux raisons principales. En premier lieu, je ne peux vraiment pas arriver à convaincre une personne — et encore moins toute personne — de vous aimer et de vous approuver".

"Non, je suppose que vous ne le pouvez pas".

"De plus, supposons que je *puisse* vous aider à obtenir l'amour de toute personne que vous rencontrez. Supposons que j'aie une baguette magique et que seulement en la brandissant je puisse faire en sorte qu'à chaque fois que vous rencontrez une nouvelle personne, cette personne vous aime immédiatement et vous perçoive comme un être remarquable. Eh! bien, je vous aurais ainsi rendu le pire service qu'un être humain puisse rendre à un autre. Je vous aurais aidée à vous sentir troublée pour le reste de vos jours".

"Que voulez-vous dire?"

"Tout juste ce que je viens de vous dire. Au coeur de votre trouble émotif, comme au coeur des troubles émotifs de presque tout le monde, se trouve votre *"besoin"* radical d'être aimée, votre croyance irrationnelle qu'il *faut* que vous receviez de l'amour et l'amour de presque tous ceux que vous rencontrez. Cette croyance se trouve au coeur de presque toute névrose. Aussi longtemps que vous penserez ainsi, vous vous sentirez troublée. Si je me mettais au service de votre "maladie" — si je vous donnais ce que vous croyez à tort vous être nécessaire — votre trouble continuerait pour toujours.

"Voulez-vous dire que si je veux être en bonne santé émotivement, je suis mieux de me défaire de ce "besoin" d'être appréciée par tous ceux que je rencontre? Si je ne laisse pas de côté ce "besoin", je ne ferai pas de progrès?"

"Exactement. La psychothérapie ne vous aidera pas, comme tant de gens le croient, à obtenir l'amour et l'approbation de tout le monde. Elle vous aidera plutôt à vous tirer d'affaire dans ce monde, que les gens vous adorent *ou non*. Une fois que vous aurez accepté le fait que vous pouvez vous payer du bon temps même au milieu de gens qui vous sont relativement hostiles, alors vous ne laisserez pas grand chose vous troubler trop. Tant que vous croirez que votre bonheur dépend de ce que les gens pensent de vous, vous aurez tendance à vous condamner à la misère et à la dépression. La névrose consiste en grande partie en la croyance folle que ce sera la fin du monde à moins que certaines personnes ne vous aiment maintenant et pour toujours".

"Je comprends", dit ma cliente. Et elle finit par arriver à comprendre et parvint à améliorer considérablement sa conduite et ses émotions.

Cependant la plupart des gens ne réalisent pas qu'ils ont moins d'avantages à "mériter" l'amour des autres qu'à rechercher leur propre plaisir. Ils traversent la vie sans jamais apprendre l'une des plus importantes leçons qu'un être humain puisse apprendre, à savoir qu'on atteint le bonheur non pas en méritant l'affection et l'approbation des autres, mais bien en arrivant, à force d'efforts et d'auto-discipline, à résoudre des problèmes difficiles et à maîtriser des situations pénibles. La plupart des gens prennent plaisir à être créateurs. Si vous ne vous consacrez pas profondément à quelque chose − un art, une science, l'agriculture, l'éducation des enfants, l'art de bien jouer au baseball, ou n'importe quoi d'autre à votre choix − vous n'éprouverez probablement pas beaucoup de bonheur. Le bonheur surgit en grande partie de l'activité créatrice: de votre intense intérêt pour des personnes ou des choses, plutôt que de l'intérêt que les autres vous portent.

"Les névrosés" s'emprisonnent, hélas, presque toujours dans un cercle vicieux. Se sentant inférieurs, et croyant qu'ils ont absolument besoin de l'approbation des autres, ils ont peur de s'engager dans une activité créatrice, parce qu'ils croient qu'ils vont échouer et récolter ainsi la désapprobation des autres. Comme ils ont peur d'essayer, ils ne s'entraînent pas à faire des choses; étant mal entraînés, ils manquent leur coup. Ils se persuadent alors doublement qu'ils n'ont aucune valeur et ne peuvent rien faire de bon. Ceci les amène à encore plus d'inaction, d'échecs et de sentiments de dépréciation personnelle.

D'autres résultats négatifs découlent aussi de l'attitude qu'adoptent les "névrosés" face à leurs défauts. Comme ils se croient incapables de faire certaines choses, leurs aspirations se situent à un niveau peu élevé. Or, il existe un rapport direct entre le niveau des aspirations et la qualité de la performance. Si vous croyez que vous pouvez facilement sauter une longueur de neuf pieds, vous atteindrez habituellement votre objectif ou vous vous en approcherez. Mais si vous croyez faussement que vous ne pouvez sauter que huit pieds, vous ne dépasserez habituellement pas ce but.

Comme les "névrosés" croient ferme qu'ils vont mal réussir telle ou telle tâche, ils réussissent presque toujours aussi mal qu'ils le croient. Ils font ensuite volte-face et déclarent: "Vous voyez bien! ça prouve que je ne peux pas le faire". En fait, ça ne prouve rien de tel, si ce n'est qu'ils n'ont pas confiance en eux-mêmes et que le succès dépend souvent de cette confiance.

De plus, l'anxiété nuit habituellement à l'efficacité. Si vous craignez beaucoup de jouer du piano, de faire un discours ou de lire à haute voix, vous ne consacrerez qu'une faible part de votre énergie et de votre concentration à vous rendre maître dans ce domaine. Vous allez plutôt passer du temps à vous demander:

"Est-ce que je fais bien ça? Mon auditoire aime-t-il ma performance?" En vous concentrant ainsi sur *comment* vous faites les choses plutôt que sur *ce que* vous faites, vous obtiendrez probablement des résultats piteux.

De la même manière, si vous croyez que les autres vous sont hostiles, il se peut que vous agissiez avec hostilité et soyez sur la défensive avec ces personnes. Il se peut alors, bien entendu, qu'elles se mettent à vous détester et alors vous croirez avoir la "preuve" de votre hypothèse du début!

Les "névrosés" s'enferment dans un autre genre de cercle vicieux en se sentant incapables, en érigeant ensuite un mécanisme de défense quelconque contre ce sentiment d'incapacité — par exemple en se retirant, en se révoltant, ou en rationalisant — et en se détestant ensuite parce qu'ils ont utilisé ce mécanisme de défense. Bien que certains moyens de défense névrotiques, comme la compensation, amènent la personne à poser des actes que la société approuve, la plupart amène des comportements condamnés par les autres. En conséquence, les personnes qui se sentent si incapables qu'elles se sont engagées dans ces moyens de défense se sentent encore plus inefficaces parce qu'elles les utilisent. Ainsi, un grand nombre de mes clients se reprochent sévèrement d'avoir une névrose, alors que leur névrose découle de leur habitude à se blâmer eux-mêmes.

Il est une tragédie courante qui se situe à ce qu'on appelle le niveau secondaire de la névrose, qui bien souvent constitue une tragédie encore bien plus grande que la névrose primaire. Prenons un exemple.

Norbert se sentait faible et laid, considérait que les hommes ne l'aimaient pas à cause de sa faiblesse physique et que les femmes le rejetaient à cause de sa laideur. En fait, il n'était ni très faible, ni très laid, beaucoup moins, en tout cas, qu'il ne le *pensait;* et pourtant il se reprochait ses "défauts".

À cause de cette perception négative de lui-même, Norbert évitait les sports et les exercices physiques, spécialement ceux qui auraient pu l'amener à montrer aux autres son corps sous-développé et son manque d'habileté. Il négligeait aussi sa toilette, convaincu qu'il ne pouvait rien faire contre sa laideur. Il proclamait qu'il se fichait bien de sa présentation extérieure.

Comme il évitait tout exercice physique et soignait peu son apparence extérieure, Norbert devint effectivement très maladroit aux sports et il avait l'air faiblard. En conséquence, certains de ses amis se mirent à faire des commentaires défavorables sur son inhabileté sportive et il finit par en entendre parler, ce qui le porta à croire encore davantage à ses irrémédiables faiblesses.

Pour éviter les commentaires peu élogieux des autres, Norbert se mit à éviter tout contact avec des gens normaux et se mit à fréquenter un groupe de "névrosés" qui buvaient comme des éponges, jouaient aux cartes et avaient fréquemment de petits heurts avec la police. Avec une attitude défensive, il arriva bientôt à penser que cette conduite était "formidable". Mais il se rendait compte aussi que bien des gens n'étaient pas d'accord avec la consommation exagérée d'alcool et qu'il n'arrivait pas à être approuvé par la majorité des gens de cette façon. Au contraire, la plupart des gens l'aimaient encore moins qu'avant.

À la fin, Norbert se mit à se reprocher davantage ses comportements névrotiques — alcoolisme et jeux de hasard — qu'il ne s'était auparavant reproché sa faiblesse et son apparence physique. Il se sentait de plus en plus coupable. Quand il me rencontra enfin, il en était arrivé à s'impliquer dans une bande qui faisait le commerce illégal des narcotiques et seule une recommandation énergique de ma part, à titre de psychologue, parvint à le sauver de la prison.

Peu de temps après avoir rencontré Norbert au Centre de diagnostic de l'Etat du New Jersey, je commençai à rencontrer en thérapie une certaine Jeanne. Elle venait tout juste d'être libérée d'une maison de redressement pour jeunes filles. Elle y avait été confinée après une tentative d'auto-avortement à la suite d'une grossesse hors mariage.

Jeanne avait commené à être troublée quand ses parents, eux-mêmes très "névrosés", se mirent à la négliger gravement et à prendre de longues vacances ensemble en la laissant sous la garde d'une parente peu agréable. Après plusieurs années de ce système, elle s'était mise à geindre presque sans arrêt et à poser des gestes destructeurs. Entre autres, elle ratait ses études bien qu'elle eut toujours obtenu des résultats supérieurs dans des tests d'intelligence.

À la maison de redressement, Jeanne continua à

rater ses études. En conséquence, on la plaça dans une classe d'entraînement au travail manuel, ce qu'elle détestait. Elle désirait faire un travail de niveau supérieur, comme écrire des textes pour la télévision, mais à la suite de ses échecs scolaires, elle se disait qu'elle était complètement stupide et incapable de faire tout autre chose que le travail manuel qu'elle détestait. Elle se mit alors à se sentir encore plus incapable et se troubla davantage.

Voilà donc une jeune fille qui, à l'origine, avait connu des échecs scolaires parce qu'elle était émotivement très perturbée. Ensuite, elle se mit à croire que ses échecs scolaires constituaient la preuve de sa sottise. Enfin, cette "preuve" se mit à la déprimer encore plus. La première fois que je parlai à Jeanne, je découvris que la cause originelle de sa névrose − sa réaction émotive exagérée au rejet de son père et de sa mère − ne la tracassait plus guère parce que, à la longue, elle s'y était habituée et était même arrivée à comprendre en partie leurs propres difficultés. Mais sa névrose *secondaire* − ses sentiments d'incapacité à propos de ses symptômes névrotiques originels (échecs scolaires) − continuait à l'habiter et à lui gâter la vie jusqu'à ce qu'elle reçoive une aide thérapeutique.

Voilà donc comment les choses se passent souvent: une personne dépasse la "cause" première de ses symptômes névrotiques et apprend à accepter les circonstances originelles, comme le rejet des parents, qui l'ont amenée à créer ces symptômes. Mais elle se met alors à considérer les symptômes eux-mêmes comme mauvais et condamnables, et se met alors à se condamner elle-même. Cette auto-condamnation produit de déplorables sentiments d'incapacité qui, à leur tour, favorisent la naissance de nouveaux symptômes névrotiques.

Un autre exemple. L'un de mes clients se détestait tellement à cause de ses réactions aux critiques continuelles de sa mère qu'il bégayait terriblement pendant le jour et passait la nuit à se tourmenter à propos de son comportement de la journée. Après un certain temps, même quand sa mère se mit à l'accepter et cessa de le harceler, il continua à se sentir anxieux à cause de son bégaiement et de son insomnie.

Il en vint finalement à être si troublé à propos de ses symptômes névrotiques que son sentiment d'incapacité s'accrût; en conséquence, il bégayait encore davantage et dormait encore moins. Sa névrose primaire fournissait ainsi un point de départ à sa névrose secondaire; cette névrose secondaire à son tour lui apportait encore plus de souffrance que la première ne l'avait jamais fait. Jusqu'à ce qu'il commence sa thérapie, il continua à élargir le cercle destructeur de sa névrose, y incluant des parts toujours plus considérables de sa personnalité.

La névrose surgit-elle seulement des sentiments d'impuissance et de haine pour soi-même? Pas exactement. Elle peut résulter d'une ou de plusieurs idées irrationnelles fondamentales, dont plusieurs n'amènent pas seulement des sentiments de dévalorisation ou un manque de confiance en soi, mais aussi des sentiments exagérés d'anxiété, d'hostilité, de même qu'une faible capacité de supporter les frustrations, tous des phénomènes que nous pouvons qualifier de névrotiques.

Quelles sont les principales idées irrationnelles qui amènent les comportements névrotiques? En étudiant mes clients, j'ai découvert qu'elles sont les suivantes:

– J'ai *besoin* d'être approuvé et aimé par presque tout le monde pour presque tout ce que je fais.

– Je *dois* agir avec compétence, efficacité et succès dans certains domaines importants, sinon ma valeur diminue.

– Il *faut* que je me condamne sévèrement pour mes erreurs et mes bêtises sérieuses.

– Il *faut* que je condamne les autres pour leurs bêtises et que je sois troublé par leurs erreurs et leurs sottises.

– Parce qu'une certaine chose a déjà joué un rôle important dans ma vie, il est *inévitable* qu'il en soit toujours ainsi; parce que mes parents ou la société m'ont appris à respecter certaines traditions, il *faut* que leur influence s'exerce maintenant puissamment sur moi.

– Si je désire obtenir certaines choses importantes pour moi, je *dois* les obtenir; si je n'y parviens pas, c'est une catastrophe. Je ne *devrais* pas avoir à laisser de côté des plaisirs immédiats pour en obtenir de plus grands dans le futur.

- Il est plus facile d'éviter les difficultés de la vie que d'y faire face.

- Ce sont les événements extérieurs qui causent mes émotions et je n'ai donc à peu près aucun contrôle sur ces émotions.

- Il faut que je me fasse du souci à propos d'événements potentiellement néfastes et ainsi mon anxiété empêchera ces événements de se produire.

On peut résumer ces idées en disant que quand vous croyez que les choses que vous *préférez doivent* se passer selon votre préférence, et qu'il est fatal que vous considériez la vie comme *horrible* ou *affreuse* quand elles ne se passent pas ainsi, vous avez des pensées, ressentez des émotions et posez des actes irrationnels. Pourquoi? Parce que souvent vous ne pourrez pas changer une réalité désagréable. Parce que si vous considérez de façon réaliste une situation désagréable, vous essayerez de la changer, ou, si elle vous semble inchangeable, de l'accepter. En vous tracassant trop à propos d'une situation malheureuse, non seulement n'arriverez-vous pas à la changer mais vous contribuerez habituellement à la rendre pire qu'elle n'était déjà.

Remarquons que c'est inconsciemment que vous vous attachez à des idées irrationnelles qui causent la névrose. Souvent vous savez bien consciemment que cela n'a pas de sens de vous attendre à être aimé par presque tout le monde, de tout réussir ce que vous entreprenez, de refuser de supporter toute frustration ou de vous en faire terriblement à propos de tout ce qui peut vous menacer. Mais, au fond de vous, vous croyez fermement et profondément ces absurdités. Vous passez votre temps inconsciemment à vous répéter que vous avez *besoin* d'être aimé, que vous *devez* réussir, que les frustrations ne *devraient* pas vous arriver, qu'il vous *faut* vous en faire à propos d'éventuels dangers, et le reste. Vos pensées conscientes peuvent, en conséquence, se trouver en conflit avec vos pensées inconscientes. Comme ces dernières sont irréalistes, elles vous amènent tôt ou tard à vous troubler et à agir de façon névrotique.

Pour présenter clairement le mécanisme des troubles émotifs, je l'explique souvent selon le modèle *A - B - C** de la psychothérapie émotivo-rationnelle. En *C* (une émotion), disons qu'une de vos bonnes amies se sent très blessée et déprimée et continue à se sentir ainsi pendant une longue période, peut-être même pendant presque toute sa vie. Ces sentiments de dépression reviennent sans cesse, parce que, dit-elle, au point *A* (une série d'événements), elle essaie fréquemment d'établir une relation permanente avec un homme qu'elle aime et qui la rejette complètement.

Comme elle se sent profondément déprimée en *C* aussitôt qu'elle se fait rejeter en *A*, elle en déduit bien humainement — mais erronément — que c'est *A* qui cause *C*. Elle vous dit, en fait: "Pierre m'a rejetée et cela m'a profondément blessée. Cela m'a beaucoup déprimée de me faire rejeter encore comme ça".

Si vous avez quelque connaissance de la thérapie émotivo-rationnelle, vous constatez immédiatement qu'elle a commis une erreur. Car *A* ne cause jamais

---

* Les Lettres A-B-C sont, en anglais, les initiales des mots
  Activating event
  Belief
  Consequence

C; puisque le rejet de Pierre est un événement *extérieur,* il ne pourrait pas vraiment entrer en elle et *causer* sa douleur et sa dépression. Ce rejet pourrait *contribuer* à causer sa dépression, mais il ne pourrait pas la *rendre* déprimée.

Quelle est donc alors la cause de *C*? Evidemment, si on y pense un peu, c'est *B*. Ce *B* représente les *idées* de votre amie à propos de *A*. Si vous connaissez bien la théorie émotivo-rationnelle, vous constaterez qu'elle entretient probablement deux idées importantes à propos de *A;* l'une réaliste (ou rationnelle) et l'autre irréaliste (ou déraisonnable).

Son idée réaliste (Br) s'énonce ainsi: "Comme c'est malheureux que Pierre m'ait rejetée. Je souhaiterais qu'il ne l'ait pas fait. Son rejet me frustre beaucoup — il me refuse ce que je voudrais avoir — et je suis mieux de faire en sorte d'obtenir ce que je désire: son acceptation, ou celle de quelque autre homme (Jean ou Jacques)". Si elle en restait à cette idée réaliste et ne croyait vraiment rien d'autre que cela, elle serait portée à se sentir ennuyée, triste, irritée, mais pas vraiment blessée ou déprimée.

Quelle est donc la cause de sa dépression? En langage émotivo-rationnel, cette cause réside dans ses croyances irréalistes (Bi) à propos de l'événement (A). Entre autres idées irréalistes, elle peut avoir les suivantes:

1- "C'est *affreux* que Pierre m'ait rejetée".
2- "Je ne *peux pas* supporter ce rejet".
3- *J'aurais dû* être si gentille avec lui qu'il ne me rejette *jamais*".

4- "Comme je n'ai pas fait ce que j'*aurais dû* faire, je suis une sotte, une imbécile, une idiote".

Qu'y a-t-il d'irrationnel ou d'irréaliste dans ces idées? Les *"devrais"*, les *"aurais dû"*, les *exigences* irréalistes et magiques que votre amie impose à elle-même et à l'univers; son refus d'accepter une réalité pénible; ses plaintes et ses lamentations à propos des aspects déplaisants de cet événement.

A Événement	**B** Idées irréalistes	**C** Effet émotif
Rejet de Pierre	"C'est affreux que Pierre m'ait rejetée". "Je ne peux pas supporter ce rejet". "J'aurais dû être si gentille avec lui qu'il ne me rejette jamais". "Comme je n'ai pas fait ce que j'aurais dû faire, je suis une sotte, une imbécile, une idiote".	Dépression

L'effet émotif C est causé par les idées irréalistes B et non pas par l'événement A.

Si vous passez à *D,* la *confrontation* de ces idées irréalistes, vous pourriez demander à votre amie:

(1) "Qu'est-ce qui fait que le rejet de Pierre *soit affreux?*"

Réponse: Rien.

Un rejet amène certainement des inconvénients,
des ennuis et de la frustration. Mais appeler quelque chose affreux (ou terrible, ou horrible) veut
vraiment dire que cette chose est *plus* que déplaisante ou désavantageuse, et que parce qu'elle est
aussi frustrante, cette chose ne *devrait* pas exister. En fait, bien sûr, elle existe et votre amie ferait mieux d'accepter son existence et de cesser de
la *définir* comme affreuse.

(2) "Comment peux-tu prouver que tu *ne peux pas*
supporter ce rejet?"

Réponse: Votre amie ne pourra jamais le prouver.
Il se peut bien qu'elle n'en vienne jamais à *aimer*
être rejetée. Mais le rejet ne la fera pas mourir.
Elle peut, en fait, supporter tout ce qui se passera
dans sa vie jusqu'à sa mort. Si elle déclare qu'elle
déteste le rejet, et même qu'elle le *déteste énormément,* elle demeure dans le réel. Mais aussitôt
qu'elle déclare qu'elle ne *peut pas* supporter ce
qu'elle déteste, elle croit des sottises et se trouble
presque inévitablement en les croyant.

(3) "*Prouve* que tu *aurais dû* faire ce que tu n'as pas
fait avec ton ami pour l'amener à t'accepter".

Réponse: Elle ne le pourra pas encore. En effet, quand elle dit: *"J'aurais dû faire ceci ou cela"*, elle affirme les deux choses suivantes: a) Il aurait été préférable que je le fasse et b) En conséquence, il existe une loi de l'univers qui déclare que je *dois* faire ce qui aurait été préférable. Bien que le premier de ces énoncés semble exact, le second pourra-t-il jamais être prouvé? Pas vraiment.

(4) "Comment peux-tu conclure que parce que tu n'as pas fait ce que supposément tu *aurais dû* faire, tu es maintenant une sotte, une incompétente, un être sans valeur?"

Réponse: Elle ne le pourra pas encore. En effet, d'abord, comme nous venons de le voir, elle ne peut pas prouver qu'elle *aurait dû* mieux se comporter avec son ami; ainsi donc, toute déduction à partir de cet énoncé ne peut que finir par être une déduction illogique, découlant d'une prémisse indémontrable et très probablement erronée. En second lieu, pour vraiment être une sotte, une incompétente et un être sans valeur, il faudrait: 1. qu'elle ait agi dans le passé et agisse dans le présent et le futur d'une manière idiote; 2. qu'elle agisse *inévitablement* de façon idiote et 3. qu'elle soit condamnée par quelque divinité pour ses actions idiotes. Aucune de ces propositions ne semble vérifiable. En conséquence, l'idée qu'elle soit une sotte, une incompétente et un être dénué de valeur se présente comme une généralisation abusive, absurde, qu'il semble impossible ou fort peu possible de démontrer.

Ainsi donc, en aidant votre amie à percevoir clairement l'A - B - C de ses sentiments douleureux et dépressifs, en l'aidant à comprendre comment elle crée ces sentiments elle-même et comment ils ne font pas qu'apparaître dans sa vie à la suite de quelque événement désagréable (A), vous pouvez l'amener à se comprendre, à assumer la responsabilité de ses émotions et à cesser de se défiler en reprochant aux personnes et aux événements d'être la cause de ses réactions émotives exagérées. En l'aidant ensuite à confronter (D) ses propres idées irrationnelles, vous pourrez souvent l'aider à se procurer un nouvel effet émotif, une nouvelle émotion. (E)

Le premier effet qu'elle pourrait éprouver consisterait en une nouvelle philosophie, une nouvelle pensée. Dans le cas présent, cette nouvelle pensée pourrait s'exprimer ainsi: "Je vais continuer à trouver bien dommage qu'une personne que j'aime me rejette à cause de certaines de mes limites et qu'elle refuse d'entrer avec moi dans le type de relation que je souhaiterais établir avec elle. Mais ce malheur ne me fera pas mourir; en fait, je puis continuer à vivre heureuse et à trouver du plaisir à certaines choses, même si elle ne m'accepte pas. Pénible? Bien sûr, mais non pas *affreux*. Même si je suis rejetée très souvent par ceux qui m'intéressent, je continue à *désirer* être acceptée, et je pense bien que je vais continuer à le désirer jusqu'à ce que je l'obtienne. Et si je n'y arrive jamais, cela sera vraiment pénible, mais ce ne sera jamais horrible ni terrible. Et cet échec ne voudra jamais dire que je suis un être sans valeur!"

En obtenant cet effet cognitif, votre amie sera ainsi amenée à se procurer un effet au niveau du comportement et un autre au niveau de l'émotion. Ainsi, elle ressentira de la peine et du regret à l'occasion de cette frustration plutôt que de la dépression et du désespoir. Elle sera aussi amenée à agir, en continuant à rechercher activement une personne avec laquelle elle puisse nouer la relation souhaitée.

En utilisant ainsi l'A - B - C de la psychothérapie émotivo-rationnelle, vous pourrez vous-même arriver à comprendre presque tous les sérieux problèmes émotifs de presque toute personne. Vous pourrez souvent arriver à aider des gens à se comprendre eux-mêmes et à s'engager dans la confrontation et le changement de leurs croyances irrationnelles et des émotions et actions nuisibles auxquelles elles mènent habituellement. Evidemment, vous pouvez faire la même démarche pour vous-même.

Existe-t-il des problèmes émotifs sérieux que vous ne pouvez pas insérer dans ce cadre A - B - C? C'est possible, mais il est douteux qu'on puisse vraiment les appeler des problèmes "émotifs". La dyslexie, par exemple, affecte bon nombre de personnes, particulièrement les enfants. Il s'agit d'un trouble qui les empêche de lire vraiment bien et qui peut les amener à ne pas lire du tout. En gros, cependant, il semble que ce soit un trouble neurologique plutôt qu'émotif; certaines personnes semblent venir au monde avec un système nerveux particulier qui les prédispose à devenir dyslexiques. Une fois affectées de ce désordre nerveux, il est alors possible que ces personnes se troublent émotivement en se disant que c'est *terrible* de lire difficilement, qu'elles ne *peuvent pas* le supporter, qu'elles ne *devraient* pas avoir ce problème et qu'elles sont des êtres *affreux* et *sans valeur* parce qu'elles sont affectées de ce trouble nerveux.

Ces personnes sont alors affligées d'un trouble neurologique *et* d'un trouble émotif. Comme vous pouvez vous en rendre compte, leur problème émotif s'insère très bien dans le système A - B - C, bien que leur trouble neurologique n'ait rien à voir avec leur tendance à *"catastrophiser"*. Ainsi donc, tous les problèmes de "personnalité" ne s'inscrivent pas dans le cadre A - B - C. Certains d'entre eux sont d'origine physique ou neurologique plutôt qu'émotive. Cependant, ce qu'on appelle habituellement un trouble émotif — ou une névrose — prend son origine dans le système de croyances des gens, dans le fait qu'ils transforment en catastrophes les événements désagréables qui affectent leur vie. De tels problèmes émotifs peuvent être compris et éliminés par l'usage efficace de l'A - B - C de la psychothérapie émotivo-rationnelle.

Qu'en est-il des complexes profonds, comme le complexe d'Oedipe? Comment peut-on les comprendre? Ces complexes inconscients ne causent pas la névrose mais résultent plutôt de conflits sérieux dans les valeurs et les idées. Prenons le complexe d'Oedipe par exemple. Selon Freud et son école, ce complexe prend naissance parce que le jeune garçon désire sexuellement sa mère, veut avoir avec elle des contacts sexuels, craint que son père ne le punisse de ces désirs et, en conséquence, prend panique devant son père et le déteste (comme il déteste les autres personnes en autorité), et se sent coupable envers sa mère (et les autres figures maternelles).

Supposons que nous examinions un individu et découvrions qu'il est en fait affecté d'un complexe d'Oedipe et qu'il agit donc de façon névrotique. La question se pose: pourquoi a-t-il un tel complexe? Est-il juste de dire, comme Freud, que sa naissance l'y portait fatalement? Non! Son complexe prend origine dans son fonctionnement névrotique plutôt qu'il ne le cause.

Si, par exemple, il avait désiré sexuellement sa mère et avait cru que ce désir était *naturel* et *bon* plutôt qu'*anormal* et *mauvais*, aurait-il vraiment développé un complexe à propos de ce désir? Ou encore, même s'il avait considéré ce désir comme mauvais mais ne s'était jamais considéré lui-même comme une "mauvaise personne" parce qu'il l'avait, aurait-il alors eu ce complexe? Certainement pas.

Son complexe d'Oedipe ne découle donc pas du *fait* qu'il désire sexuellement sa mère, mais bien de ses *croyances*, de ses *attitudes* à propos de ce fait. Même si ses parents et sa culture l'endoctrinent profondément avec ces croyances, il n'est pas obligé de les accepter ni de les maintenir. Cet individu n'aura donc un complexe que s'il *choisit* de l'avoir.

La névrose ne découle donc pas des événements malheureux, des dangers ou des frustrations qui affectent souvent nos vies, mais bien de nos propres idées irréalistes, irrationnelles à propos de ces choses.

Une fois que nous nous sommes mis des idées perfectionnistes dans la tête, il s'ensuit presque inévitablement l'un ou l'autre des résultats suivants. Ou bien nous devenons inutilement malheureux (déprimés, coupables ou anxieux), ou bien nous érigeons des mécanismes de défense qui nous permettent de ne pas ressentir cette douleur émotive (par exemple, nous nous mettons à rationaliser, à projeter, à mentir, à absorber de l'alcool ou des drogues, à compenser). En d'autres termes, la névrose se compose: 1. de sentiments inutiles de malheur, ou 2. de comportements exagérément inhibés, impulsifs, ou compulsifs, souvent destinés à pallier cette détresse psychologique. Sa cause principale? Les idées irréalistes.

Quand quelqu'un éprouve des sentiments extraordinaires, intenses ou prolongés de désespoir, d'anxiété ou d'hostilité, ou quand il utilise des mécanismes de défense particulièrement rigides et en vient aux hallucinations, à la pensée paranoïde, à l'inertie extrême pour fuir le réel, il sera souvent appelé "psychosé" plutôt que "névrosé". Les "psychosés" sont affectés de problèmes émotifs si intenses qu'ils requièrent le plus souvent un traitement professionnel intense.

Cependant la majorité des gens affectés de problèmes émotifs sont appelés le plus souvent "névrosés". Si ces "névrosés" reçoivent de la compréhension et de l'aide, ils peuvent très souvent s'améliorer considérablement.

Chapitre 4

Quelques éléments fondamentaux des bouleversements émotionnels

Est-il exact que les humains acquièrent tôt dans leur vie des sentiments profonds d'insuffisance ou une faible tolérance aux frustrations, de façon à ce qu'ils soient prédisposés à la névrose? En théorie, non. Nous pouvons probablement éduquer les enfants de telle sorte qu'ils s'acceptent eux-mêmes, qu'ils ne soient pas obsédés par l'idée qu'il est obligatoire d'être approuvé par les autres et acceptent les tribulations de la vie sans gémir.

Cependant, en pratique, bien des influences favorisent le développement de sentiments puissants d'insuffisance et des bouleversements émotionnels. Enumérons-en quelques-uns.

L'exemple parental. Si vos parents agissent d'une manière inappropriée et indécise, vous serez tenté de vous identifier à eux et de les imiter de toutes sortes de façons. Ainsi, vous pourrez avoir honte d'eux, croire que vous êtes issu de gens de peu de valeur et vous considérer vous-même comme "mauvais".

Les mères (et parfois les pères) me demandent fréquemment: "Docteur Ellis, que puis-je faire pour aider mon enfant? Je ferais n'importe quoi si seulement vous vouliez me dire exactement quoi faire".

A la mère d'une adolescente de quatorze ans qui me posait cette question, je répondis: "Vous dites que vous voulez sincèrement aider votre fille à cesser d'avoir peur des gens et lui montrer comment se faire des amis. Très bien. Mais vous êtes-vous déjà arrêtée à penser comment vous et votre mari vous comportez à cet égard? D'après ce que vous m'avez raconté, vous craignez de vous joindre aux activités de votre paroisse parce que vous ne vous croyez pas à la hauteur des autres personnes du groupe. Et vous dites que votre mari, même s'il le déteste, a conservé son emploi pendant des années, principalement parce qu'il était terrifié à l'idée d'être interviewé pour un nouvel emploi. Pas étonnant que votre fille craigne les personnes quand ses propres parents lui montrent par leurs actes et leurs attitudes, qu'ils croient le contact avec les autres effrayant!"

"Vous croyez, alors, que nous devrions faire quelque chose pour nous-mêmes d'abord?

"Ce n'est pas que vous le devriez mais bien que ce serait préférable. Vous pouvez probablement mieux aider votre fille en vous aidant vous-mêmes. Si vous cultivez votre propre jardin plus convenablement, elle verra par votre bon exemple qu'elle peut aussi cultiver le sien. Mais aussi longtemps qu'elle recevra un piètre exemple, comment pouvez-vous espérer qu'elle puisse mieux agir?"

L'exemple des parents peut avoir une importance primordiale dans la vie d'un enfant. Les parents qui agissent inefficacement et inadéquatement peuvent développer chez leurs enfants une profonde auto-dépréciation. Et ceux qui tournent toute frustration en catastrophe pourront élever des "enfants gâtés" qui, à l'âge adulte, se comporteront d'une façon analogue.

Le rejet précoce. Vous pouvez encourager des enfants à se sentir inférieurs en ne les acceptant pas: en leur montrant que vous les détestez (plutôt que de seulement désapprouver leur comportement). Si les membres de leur propre famille déprécient les plus jeunes, comment pourront-ils facilement valoriser leur vie et cultiver la joie?

J'ai connu un couple qui avait un enfant charmant que la plupart des parents et amis de la famille aimaient tout de suite, dont ils s'occupaient beaucoup et qu'ils choyaient particulièrement.

Le couple avait aussi un plus jeune enfant peu séduisant, qui ne recevait que très peu d'attention.

Dans les travaux scolaires, le benjamin possédait en fait une intelligence et une habileté supérieures à celles de l'aîné. Mais l'aîné interprétant l'approbation des autres comme une confirmation de ses capacités élevées crut posséder une intelligence supérieure et entreprit très jeune des études en vue d'un diplôme universitaire. Entre temps, le plus jeune avait peu confiance en lui-même, il considérait son frère aîné comme plus intelligent que lui. Il délaissa très jeune ses études pour devenir mécanicien. Le rejet précoce par les autres favorise le développement de l'auto-rejet et de la névrose. La plupart des enfants ont

97

une tendance (insensée!) à ne s'accepter eux-mêmes qu'en autant qu'ils se croient acceptés des autres.

La critique. Les enfants voient presque toujours la critique comme une désapprobation. Les parents qui grondent continuellement un enfant lui disent indirectement: "Je ne vois rien de bon en toi; en fait, tu sembles à peu près sans espoir"; même s'ils critiquent pour le "bien" de l'enfant, même s'ils sont convaincus que la critique est nécessaire dans un but de formation, même s'ils ont quelque justification pour leur critique, peu importe. Pour l'enfant cela signifie une désapprobation, un sentiment d'être mauvais. Après quoi lui ou elle commence habituellement à croire qu'il ne vaut pas cher et à se sentir mauvais.

La mère d'une de mes jeunes patientes disait à sa fille: "Comme tu fais mal la vaisselle"! Ou: "Laisse-moi faire bouillir cet oeuf. Tu vas tout gaspiller". Ou: "Fais ton devoir, je repasserai cette robe pour toi". La mère croyait aider. A vrai dire cela nuisait énormément, car la fille concluait qu'elle ne pouvait pas faire quoi que ce soit correctement par elle-même, qu'elle en était incapable.

Le perfectionnisme. Si vous enseignez à un enfant à agir de façon parfaite, vous le critiquez subtilement et rigidement, car la perfection n'existe pas et sa recherche exagérée conduit à la désillusion, à la peine et à la haine de soi-même. Les personnes perfectionnistes *doivent* agir parfaitement et éminemment en toutes circonstances, ce qui, bien entendu, est impossible. Vous pourriez tout aussi bien enrouler une cor-de autour du cou d'un enfant et attacher un cheval sauvage à l'autre extrémité que tenter de lui inculquer un besoin de perfection.

En parlant de perfectionnisme il me revient à la mémoire une autre de mes clientes. Elle avait si belle apparence qu'à l'âge de dix-sept ans, au moment de sa première visite à mon bureau, presque tous les hommes installés dans ma salle d'attente s'en rendirent compte immédiatement. Elle avait passé un test et avait obtenu un QI de 178 (un niveau rencontré chez environ une personne sur mille) et elle avait des talents marqués pour la danse et la sculpture. Mais elle se croyait laide, stupide et sans talent. Pourquoi? Parce que depuis ses premières années d'école, chaque fois qu'elle revenait à la maison avec un résultat de 97% ou 98% dans une matière, sa mère, complètement indifférente, se plaignait immédiatement: "Alors! pourquoi n'as-tu pas obtenu 100%?" A force de prendre cette remarque insensée au sérieux (ce que les enfants ne sont pas forcés de faire, mais font ordinairement) elle se sous-estimait tellement que des thérapeutes antérieurs l'avaient classée comme "à la limite psychotique".

Un autre client dont les parents ne nouaient des relations qu'avec le "meilleur monde", obtenait des notes prodigieuses dans toutes les matières au collège, sauf pour les arts. Non seulement dessinait-il et peignait-il très mal mais il semblait même incapable d'apprécier un chef-d'oeuvre artistique. Comme cela l'agaçait, il s'inscrivait à un cours d'art après l'autre, afin de se prouver à lui-même qu'il pouvait y réussir. Et comme à chaque fois il recevait invariablement des notes médiocres, il s'en troublait. Il était convaincu qu'il *devait* réussir en *tout* et que quelque chose n'allait pas en lui si cela ne se produisait pas. J'éprouvai de grandes difficultés à l'amener à adopter une attitude plus réaliste.

La rivalité. Dans notre culture, le perfectionnisme prend souvent la forme d'une rivalité extrême. Nous enseignons à nos enfants qu'ils doivent faire *mieux* que les autres enfants et qu'ils doivent grandir pour obtenir un *plus grand* succès. Bien entendu, au point de vue statistique, les choses ne vont pas ainsi, puisque quelques individus éminents seulement peuvent régulièrement s'acquitter de leur tâche mieux que leurs collègues. Comme résultat inévitable: des millions d'américains tentent follement d'égaler les voisins, les champions, les millionnaires, et un bon nombre finissent par se sentir inadéquats et déprimés.

Je demande à mes amis, à mes parents, à mes patients: "Pourquoi devez-vous agir *mieux* que cette personne-ci ou celle-là?'"

"Bien, je me sens comme une ordure si je ne le fais pas".

"Qu'est-ce qui vous fait vous sentir comme une ordure? D'où vient que vous soyez un raté si vous n'agissez pas mieux que quelqu'un d'autre?"

"Je ne le sais pas. Je le ressens comme ça".

"Mais *pourquoi* ressentez-vous cela?"

"Je ne peux le dire. Je pense n'avoir jamais pensé pourquoi je fais cela".

"Exactement! Vous avez simplement *accepté* la croyance sans y réfléchir vraiment. Quelqu'un vous a enseigné à croire qu'agir mieux que les autres avait des avantages, et c'est quelquefois vrai. Mais vous avez extrapolé en disant: "Si j'agis bien, j'ai plus de valeur". En fait, vous sur-généralisez sottement: qui vous êtes, votre propre essence, vous ne pouvez pas légitimement l'évaluer. Vous êtes trop complexe, trop changeant pour parvenir à une évaluation globale, valable de vous-même".

C'est ce que je dis à mes amis, parents et clients. Parfois, ça peut aider.

Les tabous inutiles. Une des principales raisons pour lesquelles les gens vivent dans l'insécurité découle de leurs sentiments de culpabilité.

Parce qu'ils croient avoir fait quelque chose de mal ou de mauvais, ils se condamnent eux-mêmes de l'avoir fait. Ainsi, plus nombreuses sont les choses qu'ils croient mauvaises, plus ils ont de tabous, plus ils se sentent coupables et submergés par leurs sentiments d'insuffisance. Notre société conserve d'innombrables tabous: sexuels, sociaux, raciaux, religieux, et autres qui, à un certain moment, avaient leur raison d'être, mais qui aujourd'hui survivent inutilement. Comme résultat, bon nombre de nos concitoyens se sentent démesurément coupables et se détestent.

Prenons comme exemple une de mes connaissances. (Je le nommerai M. Potter). M. Potter avait eu de très "bons" parents, très rigides. Depuis son enfance on lui avait appris qu'il ne devait pas jouer durement, ou se livrer à toute espèce de jeu sexuel, ou répliquer à ses aînés, ou s'amuser si un travail quelconque n'était pas complètement terminé.

Dès son plus jeune âge, M. Potter avait une liste de "tu ne dois pas..." suffisamment longue pour étouffer un être humain. C'est bien ce qui arriva. Quand je le rencontrai, vers l'âge de trente ans, il avait misérablement manqué son coup en affaires, était impuissant avec son épouse et tyrannisait son fils et sa fille. Les tabous avec lesquels il avait été élevé le faisaient se sentir comme un traître quand il ne les appliquait pas étroitement, et comme une poule mouillée quand il les appliquait.

Dans les deux cas, M. Potter se sentait incompétent. Il agissait avec autant de raideur qu'aucun individu jamais rencontré, ayant réduit son plaisir dans la vie à zéro et l'ayant remplacé par des symptômes névrotiques.

Sigmund Freud, l'un des plus célèbres psychologues, avait entrevu clairement les effets des tabous inutiles chez les gens. Malheureusement, influencé par les tabous sexuels particuliers de la classe moyenne viennoise des années 1890, Freud sur-évalua les aspects sexuels de la névrose et supposa par moments que la culpabilité sexuelle créait tous les sentiments d'insuffisance. Cette notion, particulièrement aujourd'hui, semble une exagération. Cependant, c'est avec raison que Freud soulignait que certaines catégories de tabous contribuent à créer beaucoup de nos sentiments de culpabilité et que ces sentiments de culpabilité, en retour, sont à la base de bien des confusions émotionelles.

Une éducation sur-protectrice. La sur-protection des enfants contribue aussi à détruire leur acceptation d'eux-mêmes. Les enfants pour qui on fait tout grandissent en croyant que les choses *doivent* être ainsi, et peuvent en venir à ne jamais tenter de faire quoi que ce soit par eux-mêmes. Il se peut aussi qu'ils n'aient jamais l'occasion de s'exercer à tenter leur chance, à faire des essais ou à mettre leurs idées à exécution, et que conséquemment ils le fassent d'une manière stupide. Quand enfin ils découvrent la rudesse de la vie, ils se sentent incapables d'y faire face et commencent à éprouver de profonds sentiments d'infériorité.

Bien fonctionner dans presque toutes les sphères de la vie requiert apprentissage, exercice et effort. Si au moment où vous atteignez l'adolescence et commencez à penser par vous-même vous avez eu peu d'expériences antérieures vous permettant de prendre des décisions, vous trouverez cela difficile. On pourrait comparer ce qui se passe alors à ce qui arriverait si, par exemple, vous essayiez, à l'âge de seize ans, de jouer au baseball quand, de toute votre vie antérieure, vous n'avez jamais lancé une balle ou quelque autre objet.

Pour rendre les choses encore pires, vous voyez d'autres personnes, qui semblent avoir peu d'expérience et de pratique (mais qui, en fait, ont beaucoup des deux) faire des choses avec aise et facilité. Sans grandes difficultés elles poursuivent leur route par des sentiers qui apparaissent semés d'obstacles insurmontables. Alors, si vous avez été choyé et sur-protégé quand vous étiez enfant, vous vous dites à vous-même: "Comment se fait-il que je n'arrive pas à faire les choses aussi bien, aussi facilement? Que m'est-il arrivé?" Alors, bien entendu, vous éprouverez des sentiments d'infériorité encore plus vifs.

Voyons un exemple extrême de cette situation. Il s'agit d'un homme qui fut tout à la fois sur-protégé et rejeté, gâté et désapprouvé par ses parents au cours de son enfance. Quand je le rencontrai, à l'âge de quarante ans, il refusait, après quelque trente-cinq ans d'études, d'accepter un poste d'assistant-professeur de littérature anglaise, bien que, en théorie, il fut tout à fait qualifié.

Le père de cet homme l'avait complètement rejeté, exigeant qu'il fut un sportif plutôt qu'un intellectuel et il ne manquait jamais de le critiquer quand le fils faisait ce que son père croyait qu'il n'aurait pas dû faire. Par surcroît de malheur, tout en critiquant son fils, il le soudoyait avec de l'argent et des cadeaux de telle façon que le garçon obtenait ce qu'il voulait sans jamais travailler pour l'obtenir.

Le fils choisit de se détester doublement, parce que son père le méprisait et parce qu'il savait qu'il acceptait les pots-de-vin de son père sans essayer de faire quoi que ce soit par lui-même. Et puisqu'il ne s'était jamais appliqué réellement à accomplir quelque chose de difficile, à l'âge de quarante ans, il lui manquait encore l'expérience qui finalement lui aurait rendu faciles ces tâches pénibles. De là venait son refus d'accepter un travail professionnel pour lequel il était qualifié.

Gâter un enfant peut favoriser des émotions troubles de deux types fondamentaux: la haine de soi-même et l'incapacité à tolérer la frustration. Les victimes peuvent se condamner elles-mêmes et refuser d'accepter les frustrations ordinaires de la vie quotidienne et se rendre excessivement irritables et hostiles. Les parents qui refusent de leur enseigner à accepter les dures réalités de la vie peuvent contribuer largement à leur malheur.

La frustration. De même que satisfaire tous les caprices des enfants peut les gâter et les encourager à éviter les responsabilités de la vie, les frustrer sans raison peut également les inciter à acquérir une attitude négative et utopique. Même si les humains peuvent tolérer d'énormes frustrations, ils ont un point de saturation. Les jeunes enfants, en particulier, croient qu'ils ne peuvent pas supporter les frustrations imposées par des parents trop rigides. Vous pouvez les contraindre à faire des activités qu'ils détestent, mais ils peuvent alors éprouver de sérieuses rancunes.

Une de mes anciennes secrétaires, la plus jeune d'une famille de treize enfants, avait un père qui travaillait régulièrement, mais qui ne gagnait jamais suffisamment d'argent pour subvenir aux besoins matériels de sa nombreuse famille. La mère faisait tout ce qu'elle pouvait pour les enfants, mais il leur manquait toujours bien des choses. Ma secrétaire n'avait jamais eu les jouets, les vêtements, l'argent de poche, les loisirs ou d'autres choses que possédaient les enfants du voisinage. Elle avait très peu reçu de ce qu'elle aurait voulu posséder.

Cette femme grandit en ne se sentant pas aimée. Elle croyait que l'existence les avait injustement traitées, elle et sa famille, et ressentait peu d'enthousiasme devant la vie. Au lieu d'essayer de travailler avec plus d'ardeur (ce qui aurait été la chose logique à faire, vu les besoins économiques de sa famille) elle laissa tout aller considérant la situation sans espoir et passait la majeure partie de son temps à se lamenter sur son sort au lieu d'essayer de l'améliorer.

Un de mes clients était fils unique d'une famille aisée. Mais ses parents, qui avaient réussi dans la vie par un travail laborieux, ne croyaient pas aux plaisirs terrestres. Ils n'étaient nullement enclins à gâter leur enfant, ne lui donnant pratiquement pas de jouets, lui fournissant une allocation mesquine et s'opposant à la plupart de ses plans de divertissement. Cet homme, également, tout comme la femme de la famille pauvre, se sentait tellement frustré, qu'il ne savait plus guère où se jeter. Il cessa finalement d'essayer, se mit à saboter les désirs de réussite que ses parents envisageaient pour lui en refusant de travailler à quoi que ce soit et il échoua misérablement, d'abord à l'école et ensuite dans des emplois médiocres. Il ne pouvait concevoir pourquoi, en raison de l'absence d'une récompense terrestre pour un "bon" comportement, il devrait travailler pour "rien". Il organisa donc sa propre grève émotionnelle, refusant de faire ce qu'il ne voulait pas et de ce fait, bien entendu, se causa du tort à lui-même ainsi qu'à ses parents.

L'hostilité refoulée. Une forme de frustration que bon nombre d'individus croient ne pas pouvoir supporter surgit quand ils détestent quelqu'un, mais se sentent contraints de refouler leur hostilité. De telles colères réprimées mènent souvent à une agitation et un "bouillonnement" secrets, un transfert de haine envers les autres ou finalement à un violent déchaînement des sentiments réprimés.

Un jeune psychologue que je supervisais était exaspéré et bouillonnait de colère parce que les autorités de l'établissement où il travaillait avaient restreint sans raison ses activités. Impuissant à faire quoi que ce soit dans cette situation, le jeune homme était porté à agir avec agressivité envers les patients de l'institution. Un jour que son supérieur l'avertit de contrôler ce genre d'agressivité, il se lança dans une course folle en voiture, flanqua un coup de poing au policier qui l'arrêta pour excès de vitesse et se retrouva en prison. Heureusement, le juge devant qui il comparut avait lui-même suivi une psychothérapie. Il plaça le psychologue en liberté surveillée à condition qu'il reçoive un traitement.

Ce qui est intéressant à noter, c'est qu'après que ce psychologue eut reçu efficacement de l'aide, il se comporta tout à fait adéquatement dans le même établissement et dans les mêmes conditions qu'il avait trouvées insupportables antérieurement. Il interpréta alors l'attitude de l'administrateur comme étant la suite de difficultés émotionnelles personnelles qui l'amenaient à se comporter d'une manière aussi tyrannique. Après avoir accepté cette situation, le jeune psychologue refusa dorénavant de se fâcher et de se sentir obligé de projeter sa colère envers son supérieur sur les patients de l'établissement.

Notre société contribue à nous encourager de multiples façons à penser d'une manière chimérique et à développer des sentiments d'insuffisance et de rancune. Nous nous condamnons alors si sévèrement de nos sentiments d'insuffisance ou d'hostilité que souvent nous érigeons des systèmes de défense névrotiques pour ne pas admettre ces erreurs. En retour, nos attitudes défensives nous empêchent de nous attaquer à nos idées irréalistes sous-jacentes à nos difficultés et d'agir d'une manière constructive pour les déloger.

La plupart des névroses semblent prendre racine dans des peurs irrationnelles et exagérées, qu'il est ordinairement convenu d'appeler anxiétés. La peur ou l'inquiétude rationnelles surviennent quand vous percevez un danger réel; ainsi, craindre de traverser la rue sans regarder des deux côtés. La peur irrationnelle, l'excès d'inquiétude ou l'anxiété, c'est la peur que vous ressentez quand vous exagérez ou inventez un danger; elle peut ainsi vous amener à avoir peur de vous promener sur le trottoir parce que vous pensez qu'un véhicule pourrait en franchir la bordure et vous frapper.

Les gens craignent habituellement les maux physiques et la désapprobation sociale. En comparaison avec autrefois, la vie d'aujourd'hui offre moins de risques de blessures physiques puisque la science médicale moderne, les services de police et les moyens de protection ont diminué de tels dangers. D'un autre côté, les récents développements de la science ont permis la croissance de nouvelles peurs physiques.

La deuxième peur prédominante, celle de la désapprobation sociale, peut avoir augmenté au cours des années, puisque, d'une certaine façon, nous avons davantage besoin maintenant de nous comparer aux autres, de nous comporter comme les autres, d'être comme les voisins, que ne pouvaient en avoir besoin nos ancêtres. Nous avons souvent élevé nos enfants à penser qu'être aimé ou approuvé est terriblement important et que s'efforcer de s'accepter soi-même a moins d'importance.

C'est d'abord dans le contexte familial que nous enseignons aux enfants qu'il est nécessaire d'être approuvé. Dès que les enfants font quelque chose de mal — quelque chose que les parents désapprouvent ou trouvent inopportun — leur père ou leur mère s'empressent de leur dire: "Chéri, ne fais pas cela. Si tu le fais, les gens ne t'aimeront plus", ou "...personne ne t'aimera". Ces paroles, habituellement dites sur un ton menaçant et souvent accompagnées d'une gifle ou d'un geste réprobateur, ont pour effet d'amener les enfants à penser que c'est terrible, horrible, effroyable si les gens — et particulièrement leurs parents — ne les aiment pas. Ils ont alors tendance à conserver cette croyance et à ne jamais la remettre en question.

Nous apprenons aussi à nos enfants à se blâmer eux-mêmes de multiples façons, spécialement à propos de leurs actes que la société réprouve. Nous leur donnons de la documentation, allant des contes de fées aux spectacles télévisés, remplie de mécréants, d'hommes méchants et d'affreuses sorcières. Nous leur montrons à haïr, à blâmer ces mécréants et à se détester eux-mêmes quand ils agissent d'une manière "méchante".

A vrai dire, il est impossible de qualifier quelqu'un de méchant pour plusieurs raisons:

1. Un "méchant" se comporterait uniquement d'une manière infâme et ne pourrait agir que seulement et toujours mal. Comment pourrions-nous jamais démontrer cela?
2. Même si une personne a mal agi jusqu'à ce jour, comment pourrions-nous savoir avec certitude que ce "coquin" aura un avenir complètement mauvais?
3. Le terme "misérable" ne désigne pas seulement une personne qui agit mal, mais quelqu'un qui est entièrement responsable de ses actes et mérite donc en conséquence une punition rigoureuse ou la damnation éternelle. Mais une personne qui agit régulièrement mal a des tendances soit héréditaires, soit acquises, qui l'amènent à se comporter de cette façon et dès lors, comment pourrait-on la tenir entièrement responsable (et encore moins condamnable) des traits dont elle a hérité ou qu'elle a appris?
4. Même si un humain a une totale liberté et une responsabilité complète de ses mauvaises actions (ce qui semble très peu vraisemblable), appeler cette personne un "méchant" ou un "misérable" implique nettement qu'en conséquence de l'existence d'une loi immuable de Dieu ou de l'univers, cette personne mérite d'être condamnée pour ses actions. Où trouver la preuve qu'une telle loi existe?

A cause d'un attachement à d'anciennes croyances formulées bien avant que nous possédions les connaissances psychologiques modernes, la société continue de tenir les humains pour entièrement responsables de leurs crimes et exige qu'ils se condamnent eux-mêmes et expient leurs fautes par le châtiment. Et nous exigeons ceci non seulement pour les "bandits", mais aussi pour nous-mêmes quand nous commettons des erreurs.

Une telle philosophie répressive nous rend énormément coupables (plutôt que sincèrement désolés) pour une foule de choses que nous faisons et la culpabilité implique des sentiments d'insuffisance et de haine envers soi-même. Nous ne prétendons pas que les gens ne devraient jamais se sentir responsables de leurs comportements. Chaque fois qu'inutilement, injustement et délibérément, ils causent un tort aux autres humains, ils feraient beaucoup mieux de reconnaître leurs erreurs. Mais, même là, ils seraient mieux de se sentir "coupables" uniquement dans le sens de décider de faire amende honorable et d'éviter de telles actions à l'avenir et non pas dans le sens de décider de se condamner et de se punir eux-mêmes.

En d'autres mots, vous pourrez faire face à la culpabilité de deux façons: d'une façon rationnelle et légitime et d'une autre, pas. De la façon rationnelle, reconnaissez vos erreurs ou votre immoralité. Ainsi, si vous avez inutilement causé un tort à quelqu'un (par exemple en perpétrant un vol ou en le blessant physiquement), reconnaissez votre culpabilité −votre responsabilité − pour cette action. Dites-vous: "Oui, j'ai commis cette faute. Je me suis mal conduit".
D'une manière irrationnelle vous pouvez élaborer sur la "culpabilité" en continuant à vous dire: "Je n'au-

rais pas dû faire cette mauvaise action. Seule une mauvaise personne l'aurait faite. Je me suis conduit d'une façon impardonnable, et je mérite la damnation et le châtiment".

Nous désignons cette réaction comme irrationnelle parce que, tout d'abord, vous vous dites insensément que vous ne *devriez pas* ou que vous n'*auriez pas dû* commettre une mauvaise action quand, de toute évidence, *vous l'avez fait.* Vous voulez dire vraiment: "J'aurais préféré ne pas avoir commis cette erreur". Sans aucun doute vous l'auriez préféré! Mais modifier la phrase "J'aurais préféré ne pas l'avoir fait" en "Je n'aurais pas dû le faire" n'a aucun sens réel. Cela énonce une quelconque loi immuable qui affirmerait que vous ne devez pas agir d'une façon immorale, et si réellement une telle loi existait vous ne pourriez pas agir ainsi. Quand, d'ailleurs, pourrez-vous jamais prouver l'existence de quelque obligation, garantie, ou d'un quelconque absolu?

Deuxièmement, vous dire à vous-même: "Seule une mauvaise personne pourrait se comporter si mal, et je devrais être puni pour avoir eu une si mauvaise conduite" laisse supposer que le châtiment causera un bien − aidera à convertir en bien ce qui a été mal fait − et pourra vous empêcher à l'avenir de faire tort à quelqu'un. En fait, quel que soit le châtiment que vous vous imposiez, la personne à qui vous avez fait du tort en retirera peu de bénéfice. Toute l'histoire du châtiment à travers les âges démontre que condamner ou punir les gens pour leurs fautes ne les empêche pas de refaire les mêmes fautes à nouveau. En fait, dans certains cas, quand ils se désignent comme d'affreux individus parce qu'ils ont fait de mauvaises actions, ils présument qu'ils doivent mal agir à l'avenir (car telle semble être la nature des méchants) et ils posent, de manière compulsive, encore plus de mauvais gestes. La condamnation et le châtiment n'améliorent pas la qualité des actions posées par les individus parce que cela les pousse à gémir sur leurs actes passés au lieu de se concentrer à trouver la façon de les changer à l'avenir. Si vous vous répétez à vous-même: "Ah, comme je suis méchant! J'ai fait du tort à Jean!", pourrez-vous vous concentrer sur le problème réel: "De quelle façon puis-je éviter à l'avenir de faire du tort à Jean (et aux autres)?" Pas très facilement!

Que pourriez-vous faire alors? Tirer la conclusion rationnelle et légitime suivante: "J'ai fait du tort à Jean et j'ai eu tort d'agir ainsi". Ensuite, au lieu d'ajouter d'une manière irrationnelle: "Je dois donc me désigner moi-même comme un méchant qui mérite un châtiment pour cette action", ajouter: "Considérant que j'ai mal agi cette fois-ci, de quelle façon puis-je réparer mes méfaits envers Jean, et comment, surtout, puis-je m'empêcher *une prochaine fois* de causer un tort à Jean"?

Si vous prenez cette voie, si vous vous concentrez sur la manière à prendre pour changer votre piètre comportement à l'avenir au lieu de vous demander comment vous pourriez vous punir pour vos mauvaises actions passées, vous augmenterez vos chances de trouver un moyen de vous comporter d'une manière moins immorale. Mais si vous vous concentrez sur l'auto-condamnation et l'auto-châtiment, vous perdrez de vue presque inévitablement le point essentiel — celui d'apprendre de vos erreurs — et vous continuerez à les commettre indéfiniment.

La base de la moralité rationnelle, en d'autres termes, repose sur deux propositions fondamentales: premièrement, si vous causez inutilement du tort aux autres, ces autres ou leurs amis exerceront probablement des représailles de même nature, et vous contribuerez ainsi à créer un monde chaotique et effroyable pour chacun d'entre nous. Deuxièmement, si vous causez un tort inutile à quelqu'un, vous feriez mieux de reconnaître votre comportement antisocial et de le *changer* pour un meilleur.

Malheureusement, cependant, la plupart des moralistes ont changé ces deux propositions pour leur donner une forme notablement différente et ont affirmé que quand vous causez un tort à une autre personne, vous violez une quelconque loi "naturelle" ou "nécessaire" de Dieu et de l'homme, et vous devez impitoyablement vous condamner et vous punir vous-même et être condamné par les autres.

En fait, nous n'agissons pas nécessairement d'une manière immorale quand nous causons un tort à quelqu'un, pour l'excellente raison qu'il nous est souvent nécessaire de causer un tort aux autres dans le but de survivre nous-mêmes. Ainsi, si vous prenez un siège dans un train bondé ou réalisez un profit lors de la vente d'une maison, vous recevez un bénéfice aux dépens des autres, mais en autant que vous ne faites pas exprès pour causer inutilement du tort aux autres, vous n'agissez pas d'une manière immorale. Si vraiment vous avez agi d'une façon ignoble envers un autre, vous casser la tête ne changera guère en bien le mal que vous avez fait. Décidez d'une manière intelligente, dans le présent et dans l'avenir, d'aider la personne à qui vous avez causé un tort, ou tout au moins décidez de vous abstenir de lui causer du tort à nouveau.

Ainsi donc, l'auto-dépréciation conduit à la névrose et provoque des sentiments d'insuffisance. Elle a peu d'effet pour réparer le mal que vous pourriez avoir fait. Au contraire, en général, cela vous empêche de corriger vos erreurs et de ce fait, vous mène à vous blesser vous-même encore davantage.

Une réflexion positive, constructive portant sur le présent et l'avenir, apporte une solution logique au problème du comportement moral. Mais nos concepts de "méchanceté" et de châtiment viennent saboter une telle solution.

En dernière analyse, la névrose prend sa source dans un problème moral et Sigmund Freud avait vu juste quand il la considérait comme un conflit entre ce qu'il a appelé le surmoi (ou la conscience) et les tendances insconscientes des individus (le ça) d'une part et les désirs conscients (le moi) d'autre part. Cependant, Freud a beaucoup exagéré les pulsions et les conflits sexuels des individus et minimisé leurs impulsions non-sexuelles.

Quand les gens appellent certains aspects de leur comportement mauvais ou méchants, et quand, au lieu de faire quelque chose de positif pour changer ces actions, ils se blâment de continuer à les accomplir, ils en finissent par se détester eux-mêmes. Cette haine d'eux-mêmes les conduit à de nombreux autres symptômes névrotiques tels que l'inertie, la sottise, l'alcoolisme et l'obésité. En retour, leurs traits névrotiques les incitent alors à se détester encore plus et à se comporter d'une façon de plus en plus névrotique. Voilà un cercle que, en regard de la réalisation et du maintien d'une personnalité saine, productive et heureuse, nous pouvons non seulement dire vicieux mais assurément mortel!!!

Chapitre 5

Comment aider un "névrosé" à vaincre ses troubles émotifs

La meilleure manière d'arriver à vivre avec des "névrosés", c'est de les aider à surmonter leurs névroses. Cela vous est-il possible? Une personne qui a des troubles émotifs peut-elle vraiment guérir? Peut-elle arriver à trouver des "traitements" efficaces? Sans aucun doute. Mais pas facilement!

Les "névrosés" peuvent surmonter leurs troubles émotifs et être aidés par une autre personne parce que leurs troubles émotifs viennent d'idées irrationnelles, utopiques qu'ils se sont abondamment répétées et qu'ils peuvent (avec quelque difficulté) désapprendre ou changer. Les symptômes névrotiques tels que les sentiments d'anxiété, de rage, de culpabilité et de dépression proviennent d'un raisonnement tortueux. Conséquemment, vous pouvez aider les personnes affligées de tels symptômes en les encourageant à changer leurs croyances.

Les personnes qui ont des idées irrationnelles les conduisant à la névrose les conservent, dans une bonne mesure inconsciemment, mais ne les tiennent pas — comme le croient les Freudiens orthodoxes — si profondément cachées et refoulées qu'il leur soit impossible de les ramener à l'état conscient sans un long processus psychanalytique. Elles peuvent ramener à la surface leurs idées irrationnelles — par exemple: "Je dois agir avec compétence!" — en les déduisant de leur comportement perturbé. Le désaccord entre leurs croyances rationnelles conscientes et leur comportement troublé témoigne de leurs croyances irrationnelles inconscientes.

Dès que les "névrosés" se rendent compte qu'ils ont quelques croyances irrationnelles fondamentales, vous pouvez les aider à attaquer ces croyances en leur montrant la sottise de ces idées, en les incitant à agir contre ces croyances et par d'autres techniques décrites dans ce chapitre. Cela peut être difficile, mais quand même tout à fait possible.

Vous ne pourrez pas facilement aider des "névrosés" à changer parce que souvent ils ne veulent pas admettre, au début, qu'ils souffrent de problèmes émotifs. Et, même quand ils l'admettent, ils refusent l'aide extérieure et persistent à croire qu'ils pourront s'aider par eux-mêmes. Parfois, quand ils veulent être aidés, ils résistent inconsciemment, étant tellement habitués à leurs propres symptômes qu'ils les voient de façon floue et incorrecte. Quelquefois, ils résistent à l'aide offerte parce qu'ils se sentent honteux de leur comportement névrotique et qu'ils ont de la difficulté à y faire face.

Les habitudes névrotiques ont deux aspects: elles jaillissent d'une quelconque idée irrationnelle et cette idée est incarnée dans un comportement peu approprié. Pour vaincre de telles habitudes, vous travaillez à la fois sur les idées sous-jacentes et le comportement. Par exemple, un jeune garçon bégaie parce qu'il a peur de mal s'exprimer devant d'autres personnes. Même s'il parvient à surmonter sa peur de parler mal, il a quand même à vaincre l'habitude acquise de bégayer (datant peut-être de nombreuses années). Naturellement, il éprouvera de la difficulté à vaincre cette habitude.

Si vous étouffez une habitude névrotique sans vous attaquer à sa cause profonde, vous risquez de la remplacer par une autre habitude également désagréable. Ainsi, si vous bégayez parce que vous avez peur de proférer de vilains mots et que vous travaillez seulement à vaincre l'habitude de bégayer, vous pourrez vaincre cette habitude, mais vous vous sentirez encore anxieux à la pensée de prononcer de vilains mots. Dans un tel cas, vous pouvez acquérir un autre symptôme névrotique, tel qu'une attaque de colite ou la peur d'aller faire une visite. Pour cette raison, un grand nombre de thérapeutes se montrent peu empressés d'utiliser l'hypnose, la simple confiance, les drogues, les punitions et certaines autres techniques qui peuvent parfois vous aider à déraciner votre habitude ou votre symptôme sans se rendre à la racine de votre névrose et changer le type de votre personnalité de base.

Une névrose consiste en émotions désordonnées et/ou un comportement défensif qui peuvent vous empêcher de faire face consciemment à vos sentiments déjà troublés. Pour vaincre une névrose, il vous sera avantageux de la comprendre, d'attaquer les idées qui s'y cachent et aussi de travailler à vous défaire des habitudes qui la constituent. Occasionnellement, la compréhension des causes de vos symptômes permet rapidement et automatiquement de les faire disparaître. Beaucoup plus souvent cependant, la compréhension ne fait que poser les bases d'un travail en profondeur pour changer vos idées et déraciner vos symptômes. Leur véritable extirpation exige beaucoup de travail ultérieur et seul le *travail,* habituellement, permettra de terminer la tâche.

Parents et amis en particulier peuvent aider les "névrosés" parce que contrairement au psychothérapeute qui rencontre ses clients une ou deux heures par semaine, ils les voient continuellement et que, par leurs propres attitudes vis-à-vis les troubles émotifs, ils peuvent aider à les réduire. Dans mon propre travail thérapeutique, j'utilise fréquemment les proches de mes clients comme thérapeutes auxiliaires et parfois je crois que je peux obtenir un meilleur résultat au moyen de leurs efforts que par les miens propres. Ceci s'applique particulièrement pour les jeunes enfants que je traite, dans une large mesure, en travaillant avec leurs parents. Il en va de même pour bien des pseudo-adultes.

Essayer d'aider les "névrosés" présente des difficultés parce que ce travail exige certaines caractéristiques et certaines connaissances qu'on ne trouve pas souvent chez une personne moyenne. Par exemple, vous aurez avantage à ne pas vous comporter vous-même d'une façon trop névrotique. Si tel est le cas, vous serez susceptible d'avoir tellement de problèmes vous-même et aurez si peu d'objectivité qu'il vous sera bien difficile d'aider toute autre personne. Il vous faudra beaucoup de patience et d'énergie si vous voulez vous consacrer à la tâche d'aider les "nécrosés".

Très utile aussi: une fine compréhension du comportement humain, tant chez vous-même que chez les autres. Encore une fois, ne comptez pas traiter vos amis et vos parents qui ont des troubles émotifs comme un thérapeute traiterait ses clients, parce que votre relation vis-à-vis d'eux a habituellement beaucoup plus d'implications personnelles que ne peut en avoir la relation d'un thérapeute professionnel avec ceux qu'il traite.

Quelle sera votre première démarche pour aider les gens à agir de façon moins névrosée? Reconnaissez clairement et *acceptez* le fait qu'ils ont des troubles émotifs. Un grand nombre d'entre nous qui avons des parents ou des amis plutôt perturbés refusons tout simplement d'accepter le fait que ces personnes se conduisent d'une manière inhabituelle et continuons à les traiter comme s'ils étaient parfaitement normaux. Les "névrosés" n'agissent pas comme des adultes normaux. Si vous les traitez comme s'ils étaient facilement capables de vivre le type de comportement attendu des non-"névrosés", ils vous décevront rapidement. Alors, si vous laissez voir votre mécontentement, ils auront le sentiment d'avoir échoué et en conséquence, ils seront enclins à se rendre eux-mêmes plus "névrosés".

Il se peut que vous n'acceptiez pas volontiers les troubles émotifs des "névrosés". Comme je l'ai expliqué dans le premier chapitre, ils agissent souvent d'une manière changeante, colérique, ingrate, égoïste et antipathique. Tenter de les accepter avec leurs caractéristiques désagréables peut apparaître comme essayer de vivre avec un personnage ignoble ou un ennemi. Mais si vous voulez les aider, il vaudra mieux que vous les acceptiez presque sans réserve.

Naturellement vous n'êtes pas *obligé* d'accepter un "névrosé", fut-il un proche parent comme une soeur ou un époux. Exception faite des enfants, à qui vous avez voulu volontairement donner la vie (et que conséquemment vous avez le devoir moral d'aider) vous n'êtes pas *tenu* d'aider qui que ce soit. Mais si, à cause de liens émotifs ou autres, vous désirez apporter votre aide, vous êtes mieux alors d'accepter entièrement le "névrosé".

Cela veut dire qu'aussitôt que vos parents ou vos proches font quelque chose de particulièrement stupide, d'entêté ou d'irritant, vous pouvez vous demander: *"Pourquoi* agissent-ils de cette façon?" Et répondez tout de suite: "A cause de leurs névroses! Tout simplement parce que les "névrosés" agissent souvent de cette manière. Non pas parce qu'ils me détestent. Non pas parce qu'ils me visent personnellement; parce qu'ils se comportent souvent d'une façon névrotique. Et les "névrosés" font souvent des choses méchantes, stupides, brutales".

En d'autres mots, ne réagissez pas aux actions des "névrosés" comme s'ils les dirigeaient personnellement et spécifiquement contre vous. Et même quand ils le font, vous pouvez comprendre que ces actions contre vous résultent de leur névrose, viennent souvent de sentiments dirigés contre eux-mêmes. Plaignez-les de se sentir si perturbés, de sembler contraints d'agir quelquefois d'une manière méchante. Mais ne les *condamnez* pas d'agir ainsi.

Souvenez-vous que les "névrosés" choisissent rarement délibérément leur comportement déplaisant. Ils héritent en partie de la tendance à agir de façon névrotique et ils l'acquièrent en partie. Ils ne *désirent* pas sentir leur émotivité les bouleverser et n'ont pas volontairement choisi le chemin de la névrose. C'est surtout eux-mêmes qu'ils détestent. Même quand ils font du tort aux autres, ils se contraignent pratiquement eux-mêmes à faire ce tort par leurs idées irrationnelles.

Qui blâmer alors, de la névrose d'un individu, s'il n'en a pas la complète responsabilité? Ses parents ou ses grands-parents? Pas vraiment. Car, eux aussi, se sont comportés de façon erronée ou ignorante et ne savaient pas ce qu'ils faisaient. Pouvons-nous blâmer la société? D'une façon, oui, puisque nous en sommes tous issus. En fait, cependant, la société est composée de personnes et s'il arrive que ces personnes aient des limites et si, sans le vouloir, elles instituent et perpétuent des lois et des coutumes insensées, devrions-nous légitimement les condamner?

Pourquoi vraiment condamner quiconque? Assurément, tel ensemble de facteurs peut causer tel ensemble de conditions. Mais est-ce que condamner les gens arrêtera l'action de l'ensemble des facteurs ou les empêchera de conduire à tel résultat? Demandons-nous: Comment pouvons-nous *changer* ces facteurs et *empêcher* ces conditions de se produire? Pourquoi ne pas se concentrer sur cette question au lieu de nous demander qui nous devrions blâmer?

En résumé, le premier pas à faire pour aider un "névrosé" consiste à accepter complètement le fait qu'il ou elle est perburbé, et à s'abstenir de le ou la condamner de quelque façon que ce soit, d'agir ainsi!

Une fois que vous aurez accepté le fait qu'un de vos parents, de vos enfants, que votre conjoint, qu'un de vos amis ou associés d'affaires souffre d'une névrose grave, vous pourrez ensuite vous efforcer de comprendre ce que font les "névrosés", pourquoi ils se conduisent de la façon dont ils se conduisent, et comment vous pouvez les aider à changer. Vous trouverez des données utiles en vue de cette compréhension dans les pages de ce livre. Vous trouverez d'autres éléments pertinents dans les plus récents travaux sur la psychothérapie et la théorie de la personnalité; une liste choisie de ces ouvrages est proposée dans le dernier chapitre. Consultez certains de ces livres. Assistez à des séminaires, ateliers et conférences sur la personnalité et le comportement humain donnés dans les universités, les instituts de thérapie et les centres de croissance tels que l'*Institute for Advanced Study in Rational Psychotherapy,* à New York. Soyez bien informé des découvertes psychologiques. Plus vous serez renseigné sur la psychologie en général et sur la psychothérapie en particulier, mieux vous vous comprendrez vous-même et aiderez les autres dans leurs problèmes.

La connaissance de soi est primordiale pour la compréhension des manifestations émotives des autres. Tout ce que vous faites pour voir clair en vous-même, découvrir vos tendances névrotiques et remédier à vos blocages, contribuera à vous aider à aider les autres.

Même si vous ne vous sentez pas trop sérieusement perturbé vous-même, l'une des meilleures choses que vous puissiez faire, si vous avez de la difficulté à aider un parent ou un ami "névrosé", serait de recevoir une certaine aide psychologique vous-même. Souvenez-vous à cet égard qu'en plus d'aider les personnes à surmonter leurs problèmes émotifs, un des buts principaux de la thérapie consiste à apprendre aux personnes non-perturbées ou seulement légèrement "névrosées" comment se comprendre elles-mêmes et surmonter les incohérences qui les empêchent d'atteindre leur plein potentiel.

Dès que vous êtes prêt à accepter complètement les "névrosés" et à apprendre suffisamment de psychologie pour vous permettre de les comprendre, la prochaine étape à franchir sera de leur témoigner de la sympathie et de leur apporter votre appui. Nous ne pouvons pas trop souligner combien les "névrosés" utilisent l'auto-dévalorisation; ils croient d'une manière insensée qu'ils n'ont aucune valeur quand ils subissent des échecs et quand les autres les désapprouvent. Par conséquent, ils peuvent plus facilement s'accepter eux-mêmes, si vous les acceptez inconditionnellement en dépit de leurs piètres actions.

Les "névrosés", hélas trop souvent, semblent ne se mériter aucune acceptation ou sympathie. Au contraire, souvent ils font tout pour être rejetés et désapprouvés. Ils voient avec méfiance toute bienveillance qui leur est manifestée et mettent leurs amis à l'épreuve par leurs réactions ingrates et négatives. Conséquemment, ils exigent un amour constant et continuent à l'exiger jusqu'à ce qu'ils arrivent à croire que vous l'éprouvez vraiment à leur égard.

Ceci ne veut pas dire que vous devriez flatter exagérément les "névrosés" dans le but de renforcer leur "moi". De préférence, soutenez-les intelligemment avec le plus de vérité possible. Soulignez leurs bons points, montrez-leur comment ils ont bien agi en telle ou telle circonstance, si stupidement qu'ils aient pu se comporter en d'autres occasions.

En d'autres mots, faites ressortir leurs valeurs. Ne niez pas faussement leurs manquements, mais essayez de les ignorer ou de les minimiser. Continuez de leur montrer leurs bons points aux moments opportuns. Dites-leur quand ils se présentent particulièrement bien, quand ils accomplissent un travail satisfaisant, quand ils agissent mieux qu'ils ne l'auraient cru. Ne soulignez pas leurs valeurs uniquement par des mots mais aussi par vos attitudes. Adoptez une attitude qui vous amènera à n'évaluer aucun humain, y compris vos amis "névrosés", comme bonne ou mauvaise personne, mais qui vous permette de les accepter comme des personnes posant des actes bons et mauvais. Persuadez-vous vraiment de ceci de façon à communiquer votre attitude aux "névrosés" que vous aiderez.

Par-dessus tout, encouragez-les à faire les choses qu'ils ont follement peur de faire et qu'ils croient erronément ne pouvoir réussir. Encouragez leurs efforts, même s'ils échouent. Et si, effectivement, ils échouent, montrez-leur que la prochaine tentative pourrait bien réussir. Essayez d'amener les "névrosés" à faire des choses qu'ils pourront probablement réussir. Faites-leur alors remarquer que leurs succès indiquent qu'ils peuvent faire d'autres choses dont ils ont peur.

Persuadez vos amis et parents "névrosés" que chacun d'entre nous connaît souvent l'échec et que les humains, en grande partie, apprennent par tâtonnement. Par conséquent, non seulement l'échec est-il fréquent, mais il apporte de grands avantages. C'est par l'échec que nous apprenons à réussir dans l'avenir.

Il sera parfois opportun d'aider les "névrosés" à abaisser leur niveau d'aspirations, pour qu'ils ne tentent pas d'accomplir des choses au-delà de leurs capacités. Encouragez-les à agir avec audace, mais aussi avec réalisme. Combattez le perfectionnisme, ou les espoirs chimériques.

Vous pouvez aussi aider les "névrosés" à comprendre que même si le succès a de l'importance, vous ne le concevez pas comme étant infiniment important ou sacré. Témoignez de votre confiance dans leurs succès futurs, mais quand ils échouent, montrez-leur que vous les acceptez encore et que vous vous intéressez à eux.

Tout en laissant voir aux "névrosés" que vous les respectez en tant qu'humains, montrez-leur en même temps que vous ne leur permettez pas de vous prendre pour une bonne poire facile à exploiter. Adoptez une attitude de ferme bonté et abstenez-vous de les dorloter et de les traiter en bébés.

Qu'est-ce que je veux dire par *ferme bonté*? Simplement ce que cela implique, c'est-à-dire que vous agirez gentiment avec les personnes mais que vous fixerez des limites précises et que vous vous y tiendrez fermement. Cela veut dire que vous tenterez de voir les choses du point de vue des autres mais en ne perdant jamais complètement de vue vos propres désirs et intérêts.

Supposez, par exemple, que vous ayez un mari "névrosé" qui craint de rencontrer des gens et veut demeurer à la maison tous les soirs sans jamais recevoir de visiteurs. Ne dites pas: "Voyons, André, tu sais bien qu'avoir peur des gens veut dire que tu te comportes de façon névrosée. En outre, tu n'as aucune considération pour moi. Tu ne penses jamais à ce que je peux désirer faire. Si tu m'aimais réellement, tu passerais par-dessus tes idées folles, tu m'inviterais à sortir régulièrement et tu te sentirais content quand j'invite quelqu'un".

Cette façon de s'exprimer aura pour effet de convaincre André qu'il est totalement incapable, que vous ne le comprenez pas, et que vous ne pensez qu'à vous-même. Cela l'incitera à se sentir encore plus perturbé.

En tant qu'épouse d'André, vous seriez mieux de comprendre que son refus de voir des gens est dû à l'anxiété névrotique et à l'auto-dépréciation. Faites tout votre possible pour l'aider à sentir qu'il est *capable* de s'accorder avec les gens. Habituez-le graduellement à rencontrer une ou deux personnes ayant avec lui des affinités, de préférence des personnes que vous aurez averties de ses problèmes, de façon à ce qu'elles l'acceptent. Une fois qu'il se sentira quelque peu à l'aise avec ces nouveaux amis, vous pourrez alors lui faire réaliser qu'il peut rencontrer aussi bien d'autres personnes.

Cependant, si André reste obstinément névrosé, refuse de rencontrer des gens et insiste pour que vous demeuriez vous aussi à la maison, vous pouvez dire quelque chose comme ceci: "Je comprends réellement, André, que tu ne désires pas rencontrer des personnes maintenant, quoique je crois que tu le désireras plus tard. En attendant, je vais devenir presque folle en étant continuellement enfermée comme maintenant. Je veux réellement rencontrer des gens de temps en temps. Cela m'est égal que tu ne veuilles pas les voir, mais je n'ai pas l'intention de faire comme toi. Supposons que je reste à la maison avec toi la plupart du temps, mais qu'une fois par-ci, par-là, je sorte seule. Quand tu auras surmonté ce désir de ne voir personne, comme je sais que tu le feras, nous aurons alors du plaisir à sortir ensemble."

En agissant de cette façon, vous faites respecter vos droits et, en même temps, démontrez votre compréhension vis-à-vis les névroses des autres. Laisser votre époux névrosé vous mener par le bout du nez, simplement à cause de ses troubles émotifs, lui donne souvent un motif pour les prolonger ou les intensifier. Il a alors une excuse pour agir comme un bébé, comptant ainsi arriver à ses fins. De plus, il peut perdre le respect qu'il a pour vous et se déprécier pour s'être associé à quelqu'un d'aussi faible et fade que vous.

En outre, les "névrosés", souvent, ne veulent pas réellement agir tout à fait à leur guise. Ils veulent être compris, acceptés et approuvés. Ils sont souvent conscients qu'ils se conduisent de travers et se sentent encore plus mal parce que personne ne les arrête.

Par exemple, une de mes parentes aime les concessions que lui fait son mari quand elle a des exigences déraisonnables. Mais quand il la laissa dépenser tout l'argent de leurs vacances pour faire un voyage seule pendant qu'il restait à la maison dans la chaleur étouffante de la ville, elle détesta sa faiblesse et se détesta d'avoir profité de lui. Ces sentiments furent de nature à augmenter ses troubles émotifs.

Parfois les "névrosés" veulent, plus que toute autre chose, quelqu'un qu'ils puissent considérer comme un bon modèle, à qui ils puissent s'identifier, et chez qui ils puissent trouver de la force. Ils entreprennent même une psychothérapie dans ce but; non seulement pour acquérir l'amour et la compréhension de leurs thérapeutes, mais pour utiliser leur force, leur personnalité, leur comportement non-névrotique. J'ai rencontré cette situation quand un client, qui m'avait été référé ainsi qu'à un autre thérapeute, obtint une entrevue avec chacun de nous et décida alors de demeurer avec moi. Je demandai: "Qu'est ce qui vous a décidé à me préférer à l'autre?"

"Eh bien! voilà ce qui s'est passé" répondit mon client. "Je suis allé le rencontrer, et j'ai remarqué dès le début que son bureau était rempli de fumée. Je veux arrêter de fumer. De plus, il parlait à voix si basse que je ne pouvais que difficilement l'entendre. Finalement, j'ai vu qu'il pesait environ 250 livres. Et, comme je vous l'ai dit la dernière fois, j'ai un problème d'obésité. Bon, me suis-je dit, s'il a si peu de discipline personnelle, je ne vois pas comment il pourrait beaucoup m'aider!"

Plus vous agirez de façon ferme et décidée, plus les "névrosés" auront confiance en vous et croiront que vous pouvez les aider. Donc, soyez ferme avec eux. Il serait sans doute mieux de décider quelles limites vous voulez mettre à l'attention que vous leur accorderez et ensuite vous en tenir à ces limites. Traitez-les avec bonté et fermeté, et non pas avec l'une ou l'autre.

Ne permettez pas à une personne que vous voulez aider de se livrer avec vous à du chantage émotif. Très souvent, comme dans le cas des mères qui soudainement sont victimes d'une crise cardiaque ou d'une indigestion grave quand les noces de leur fils favori approchent, les "névrosés" utilisent la maladie comme moyen de chantage. S'ils sont capables d'amener les autres à agir selon leurs vues en invoquant la maladie ou le grand malheur, ils deviennent parfois des patients chroniques et continuent de vous exploiter impitoyablement. Ne vous soumettez pas à ce genre de chantage, car les "névrosés" peuvent se comporter très souvent comme des martyrs. Agissez avec bonté mais demeurez ferme.

Une règle essentielle pour traiter un "névrosé": ne critiquez pas! Comme nous l'avons signalé précédemment, les "névrosés" en arrivent à cet état, dans une large mesure, pour avoir pris la critique trop sérieusement. Parce qu'ils se sont rendus hypersensibles, ils acceptent mal la critique.

Si vous les critiquez (ou critiquez même seulement leurs caractéristiques) vous pouvez contribuer à augmenter leurs sentiments de dévalorisation.

D'ailleurs, il est rare que la critique motive quelqu'un à poser des actes constructifs. Aider des humains à changer leurs "mauvais" comportements pour de "meilleurs" comportements implique de les inciter à aller du point 1 au point 2. Mais la plupart d'entre nous, quand on nous dit que nous *devrions* aller de 1 à 2 ou que nous nous comportons comme des idiots de ne pas avancer, bloquons sur place ou reculons. Nous détestons toute poussée ou pression même pour notre propre bien.

En particulier les "névrosés" ont tendance à mal réagir aux objurgations qui prennent la forme de critiques. Leur dire qu'ils devraient, pour leur propre bien, aller du point 1 au point 2 équivaut à leur dire: "Regarde, imbécile! Tu sais diablement bien que tu te causes du tort à toi-même en demeurant à 1 au lieu de te rendre à 2. Pourquoi n'arrêtes-tu pas d'agir comme un crétin et ne te mets-tu pas à agir comme il faut?" Pour à peu près tout le monde, cela semblera être un blâme.

Les "névrosés" se reprochent constamment leurs "mauvais" comportements, leurs symptômes perturbés; et si vous les condamnez, ceci les aide uniquement à intensifier leur auto-condamnation. Vous pouvez, au lieu de les attaquer ou attaquer leurs comportements, vous en prendre plutôt aux *idées* sous-jacentes à leurs symptômes. Si, par exemple, votre ami "névrosé" a peur de voyager en train, ne lui dites pas: "Oh! voyons donc, Claude, comme c'est stupide! Tu sais que les trains sont sûrs!" Il est sûrement conscient de la sottise de sa phobie et du fait que ce mode de transport n'implique pas grand danger. Mais si vous accentuez ses absurdités, vous le qualifiez d'idiot. Essayez plutôt de trouver quelle idée se cache derrière la peur que Claude peut avoir de voyager en train. Evidemment, il croit que voyager en train implique un grand danger. Ainsi, il peut avoir l'idée que le train en tamponnera un autre, et que cela serait un grand désastre. Ou bien il peut s'imaginer que dans un train où l'on est serré l'un contre l'autre, il peut avoir des contacts physiques étroits avec un homme ou une femme, et qu'il considère cela comme insupportable. Ou il pense peut-être que dans le train, il peut avoir la diarrhée et ne pas pouvoir se rendre à la salle de toilette à temps, et cela lui semblera très embarrassant. Si vous voulez saper la phobie de Claude, vous ferez beaucoup mieux de découvrir quelles idées irrationnelles Claude a inventées pour créer son anxiété et alors de vous attaquer non pas à Claude, et non pas même à son anxiété, mais à ses idées irrationnelles.

Ainsi, si vous découvrez que Claude a réellement peur de mourir dans une catastrophe ferroviaire, vous pourrez lui faire remarquer que ces accidents sont très rares de nos jours; que la plupart de ceux qui se produisent n'entraînent que peu de morts, que chacun doit mourir un jour; que se tourmenter à propos de la possibilité d'un accident de train pourra difficilement réduire les chances qu'il a en fait d'avoir un accident; que préserver sa vie au prix de continuelles inquiétudes ne semble pas en valoir la peine, etc...

Ce genre d'attaque portant sur les bases idéologiques des peurs des "névrosés" leur fera souvent beaucoup de bien. Dans bien des cas, cependant, parce que vous avez des relations intimes avec eux, ils s'attendent de votre part à certaines choses auxquelles ordinairement ils ne s'attendraient pas de la part des autres. Dans de tels cas, vous êtes appelé à faire plus pour surmonter leur inertie et pour les inciter à évoluer positivement. Quoi de plus?

La réponse, dans une large mesure, inclut l'amour. A cause de l'amour qu'elle porte à quelqu'un, une personne non seulement évoluera positivement, mais encore supportera des blessures ou même la mort, si cela peut aider l'autre. Si vous réussissez réellement à convaincre les "névrosés" que vous vous souciez d'eux, que vous voyez les choses de leur point de vue, ils feront souvent n'importe quoi pour vous. Et même dans certains cas, ils abandonneront certains de leurs comportements névrotiques.

Considérons le problème d'un homme qui souhaite avoir de fréquentes relations sexuelles avec son épouse. Mais l'épouse, à cause d'une peur névrotique, désire n'avoir des relations sexuelles qu'une ou deux fois par mois. S'il la tourne en ridicule, elle s'obstine encore davantage. S'il la supplie, elle déclare qu'elle aimerait avoir des relations sexuelles plus souvent, mais n'arrive pas à se sentir à l'aise. Impasse. Plus il la ridiculise ou la supplie, plus elle se sent mal à l'aise et plus sa névrose s'intensifie.

Le mari peut essayer une voie différente. Il peut comprendre la situation difficile de son épouse, lui montrer qu'il comprend qu'elle a ses raisons de refuser et ne pas l'accuser de lui en vouloir. Il peut aussi essayer de découvrir la cause fondamentale de sa peur de l'acte sexuel et lui démontrer que, même si dans le passé elle a pu avoir de bonnes raisons d'avoir peur, ces raisons ne sont plus valables maintenant. Il est préférable de ne pas se moquer de sa peur de la sexualité ou de ses superstitions, mais plutôt de tenter d'aller au-delà et de les saper par des attitudes différentes, des attitudes plus rationnelles.

Par-dessus tout, il peut lui témoigner de l'amour et lui montrer qu'en dépit de sa propre déception, il ne lui en tient pas rigueur. Tout en admettant franchement son ennui, il peut tenter de l'amener à le satisfaire par des moyens autres que le coït, si elle refuse de s'y livrer. Il peut honnêtement lui exprimer ses sentiments mais en même temps lui montrer qu'il l'aime, même s'il n'aime pas les frustrations qu'elle lui impose.

Si vous vous souciez constamment et de tout coeur des "névrosés" même quand ils vous incommodent ou vous briment, ils sentiront que tout au moins une personne les respecte, et peut-être commenceront-ils à abandonner leurs sentiments d'insuffisance et d'hostilité qui forment la base de leur névrose. Deuxièmemement, ils peuvent sentir qu'ils ont en vous un allié, un aidant réel et donc une meilleure chance de surmonter leurs peurs et leurs troubles émotifs. Troisièmement, ils seront portés à vous aimer en retour, et à cause de cet amour, ils commenceront souvent, tout spontanément, à faire des choses pour vous qu'ils n'auraient pas pensé à faire pour qui que ce soit; peut-être entre autres, à essayer de surmonter les peurs névrotiques qui vous ennuient.

L'amour engendre l'amour; et l'amour engendre souvent l'action. Ceci n'est pourtant pas une loi infaillible, puisque votre conjoint peut se comporter d'une façon si névrotique à propos de la sexualité ou d'autres impulsions que même un très grand amour peut ne pas le décider à essayer de se débarrasser de sa névrose. Mais, comme les thérapeutes le savent depuis Freud, ces clients peuvent acquérir la compréhension d'eux-mêmes et passer à l'action à cause de leurs sentiments positifs, ou de leur amour pour un thérapeute. De même, dans une relation non-thérapeutique, si vous pouvez, d'une manière ou d'une autre, amener les "névrosés" à vous aimer, ils commencent parfois à travailler à leur propre guérison.

Votre prochain objectif important pour essayer d'aider les "névrosés" consistera à diminuer leur honte ou leur culpabilité. A la base, presque tous se sentent honteux ou coupables; ils ont peur d'agir de travers et par conséquent de ne pas être aimés par les autres. Pour les soulager, vous pouvez utiliser deux méthodes: vous comporter avec indulgence, tolérance et d'une manière non-critique quand ils font quelque chose de "mauvais", et les encourager à se conformer à leurs propres normes et à faire ce qu'ils considèrent juste.

Voyons d'abord la ligne de conduite indulgente. Les "névrosés" sont portés à être peu indulgents envers eux-mêmes dans bien des domaines. Ils se critiquent pour chaque petite bêtise et ne se pardonnent que bien peu ou même rien du tout. Par conséquent, si vous agissez envers eux avec tolérance et indulgence, ils seront portés à s'accepter davantage.

Supposons que vous viviez avec un homme qui se sent coupable parce qu'il croit ne pas aimer suffisamment sa mère. Si vous vous comportez comme si avoir des sentiments ambivalents envers sa mère ne constitue sûrement pas un crime, il peut adopter une attitude différente devant son propre manque d'amour. Ou, dans une approche différente, vous pouvez essayer de découvrir pourquoi il n'aime pas sa mère et l'aider à surmonter cette aversion.

En exprimant votre tolérance envers les "névrosés", vos propres attitudes et actions peuvent s'avérer plus importantes que vos paroles. Si une femme se sent grandement coupable dans ses activités sexuelles, simplement lui dire de ne pas se sentir coupable ne suffira pas si vous-même vivez une culpabilité semblable et si vous le laissez voir. Votre meilleure chance de l'atteindre consistera à ne pas ressentir de culpabilité vous-même.

L'autre stratégie pour diminuer la culpabilité — celle de conseiller aux personnes perturbées de ne pas faire des choses à propos desquelles elles se sentiraient coupables — semble être directement opposée à la première approche. Mais elle ne l'est pas. Il vaut mieux, pour les humains qui vivent dans n'importe quelle forme de société, se sentir fautifs vis-à-vis certains des actes qu'ils posent, autrement cette société ne survivrait pas bien longtemps. Si personne ne considérait qu'il est mal de voler, violer, ou tuer, chacun pourrait essayer à certains moments de poser ces actes et l'on tomberait dans le chaos.

Bien que vous puissiez demeurer indulgent et tolérant avec les "névrosés", n'essayez pas de leur enlever complètement leurs sentiments d'être en faute mais seulement leur culpabilité inutile. Selon la philosophie exprimée dans le chapitre précédent, amenez-les à penser, quand ils font quelque chose d'inutilement préjudiciable aux autres: "J'ai posé cette action, et je vois que c'est mal. Très bien; en admettant que c'est mal, voyons maintenant de quelle façon je peux réparer ce tort et m'empêcher de recommencer à l'avenir." Non pas: "Quel affreux individu je suis d'avoir commis une telle action! Voyons quelle est la meilleure façon de me condamner et de me punir d'avoir agi ainsi."

En amenant les "névrosés" à admettre leurs comportements erronés ou immoraux et à s'efforcer de ne pas recommencer, vous pourrez souvent les inciter à éviter leurs actes mauvais.

Supposons, par exemple, qu'un homme, pour avoir des relations sexuelles, mente à une femme en lui disant qu'il désire l'épouser alors que, en fait, il n'a aucun désir de divorcer d'avec sa présente épouse. Dans ces conditions, il se sentira mal à l'aise, comme il se doit. Vous pouvez l'aider à réduire sa culpabilité en l'incitant à arrêter de mentir et à accepter les conséquences de la franchise, même si cela signifie que la femme refusera d'avoir affaire à lui à l'avenir.

Cependant ne lui dites pas: "Voyons, Paul, comme c'est *terrible* de traiter cette femme comme cela! Pourquoi n'arrêtes-tu pas de te conduire comme un misérable et ne lui dis-tu pas la vérité?" Un tel comportement l'aidera probablement à augmenter sa culpabilité, accentuera sa tendance à croire que tout le monde le déteste, et l'incitera à rationaliser sa conduite.

De préférence, essayez d'amener cet individu à changer son comportement en lui montrant qu'à moins de vivre une vie raisonnablement morale, lui-même y perdra, parce qu'il aura renié ses *propres* conceptions morales et qu'à long terme il récoltera plus de souffrance que de plaisir. En d'autres mots, toute satisfaction acquise en s'engageant dans un comportement que lui-même désapprouve, contribuera à lui apporter des sentiments douloureux d'irresponsabilité et d'immoralité. Et, en dernière analyse, il gagne moins de satisfaction que de souffrance, même s'il évite sagement de se déprécier.

Quelquefois, en demeurant vous-même calme, en continuant d'accepter les personnes qui sont accablées par leur culpabilité, et en vous appliquant à réduire plutôt qu'à augmenter leurs sentiments de culpabilité, vous pouvez leur montrer comment cesser de se sentir déraisonnablement coupables ou comment cesser de faire des choses envers lesquelles elles se sentent à juste titre irresponsables et fautives.

Si des personnes que vous essayez d'aider ont réellement commis des actes immoraux ou peu sages, vous pouvez les amener à utiliser leurs sentiments d'une façon constructive plutôt que destructive. Car si elles ont commis des erreurs et ont causé inutilement du tort aux autres, elles ont encore avantage à ne pas avoir recours à l'auto-condamnation. La reconnaissance de leur faute peut les aider à prévenir la répétition de leur comportement erroné. Cela ne "prouve" pas qu'elles n'ont pas de valeur parce qu'elles ont commis ces actes.

Ainsi, si votre fils a inutilement causé un tort à l'enfant d'un voisin, vous pouvez lui montrer qu'il a agi incorrectement, et que le remède à sa conduite anti-sociale ne réside pas dans le fait de se punir lui-même (ou dans celui que vous le punissiez vous-même) mais plutôt dans la décision de mieux agir envers l'autre enfant à l'avenir. Ou, encore, si votre épouse "névrosée" se sent excessivement coupable parce qu'elle n'a pas suffisamment pris soin de la maison, vous pouvez lui apprendre à cesser d'abord de se condamner, pour ensuite tenter d'agir en meilleure maîtresse de maison.

Ainsi donc, pour ce qui concerne la culpabilité névrotique, l'objectif fondamental consiste à convaincre les personnes perturbées qu'elles n'ont aucune raison de se sentir coupables mais que si elles se conduisent mal, elles peuvent faire disparaître leur impression d'immoralité en essayant de se mieux conduire. Si vous pouvez inculquer cette idée aux "névrosés" accablés de culpabilité, vous pourrez les aider considérablement.

Une façon efficace d'aider des amis "névrosés" à surmonter leurs sentiments de culpabilité consiste à diminuer, au moins temporairement, les exigences qu'on a à leur égard. Bien des personnes troublées, parce qu'elles consument une grande partie de leur énergie à se détester et à détester les autres, se sentent débordées par le travail ordinaire d'entretien d'une maison, la direction d'une entreprise, ou la participation à une activité quelconque. Parfois elles peuvent être vraiment épuisées, développer différents symptômes physiques, être extrêmement agitées, ou même souffrir d'un état grave de dépression.

Si tel est le cas, il y aurait souvent lieu pour vous de réduire leur fardeau. Quand vous les aurez aidées au moyen des autres méthodes exposées dans ce chapitre, elles pourront reprendre leurs pleines responsabilités.

Evaluez la somme de travail que les "névrosés" peuvent faire et veillez, sans insister pour qu'ils travaillent trop, à ne pas leur permettre de se laisser aller à la paresse. Car le travail lui-même, spécialement lorsqu'il est productif, peut constituer un bon antidote à la névrose.

Quelquefois, vous aurez avantage à pousser à plus d'activité les individus "névrosés" puisque une telle activité peut contribuer à les détourner de leurs pensées névrotiques. Ainsi, bien que temporairement ils puissent avoir des responsabilités moindres, quelques mois plus tard vous pouvez faire en sorte qu'elles soient augmentées à nouveau. Si vous observez attentivement des amis ou parents qui ont des troubles émotifs, et si vous les amenez à expérimenter différentes responsabilités, vous pourrez ordinairement les aider à choisir des charges de travail qui leur permettront de diminuer leur auto-critique. Pour décider d'un programme spécifique, cependant, vous pourrez avoir besoin d'un avis professionnel.

Il est clair que le plus grand obstacle à surmonter, pour les "névrosés", est constitué par leurs peurs irrationnelles, telles que la peur du rejet et celle de l'échec. On peut parfois les raisonner, leur montrer la sottise de leurs peurs, et les ramener à un point de vue rationnel. Cependant, vous trouverez que s'attaquer aux peurs elles-mêmes est souvent inefficace. De préférence, découvrez et attaquez les idées irrationnelles sous-jacentes à ces peurs.

Ainsi, si votre cousin névrosé a peur de jouer au tennis, vous ne l'aiderez pas en lui disant "Tu peux avoir du plaisir à pratiquer ce sport. Comme c'est stupide de ne pas essayer!" Il le sait probablement déjà et se déteste lui-même, en partie parce qu'il ne le sait que trop.

Votre cousin ne sait pas qu'il a dans l'esprit quelque croyance profonde qui lui fait apparaître le tennis comme périlleux, quand en fait il n'a aucune preuve de ce danger. Ainsi, il peut croire que s'il joue mal au tennis les gens le blâmeront, et qu'il ne peut supporter le "danger" de leur désapprobation. Cette croyance n'a pas de base dans la réalité, puisque les gens ne le désapprouveront pas mais critiqueront seulement son jeu. Et même s'ils le critiquaient lui-même, il pourrait certainement supporter leur désapprobation et la considérer comme inoffensive.

Plutôt que d'attaquer directement les peurs de votre cousin, vous pouvez plus efficacement attaquer les idées irrationnelles qui se cachent derrière elles et qui le forcent, aussi longtemps qu'il maintiendra de telles idées, à éprouver de telles peurs. Vous pouvez saper de telles peurs, encore un fois, si vous les découvrez, en en faisant prendre conscience à votre cousin, en lui signalant leur base irrationnelle, et en lui démontrant comment elles le conduisent au malheur, et comment il peut les affronter.

Vous pouvez attaquer ces croyances irrationnelles qui conduisent à des peurs inutiles en aidant les personnes à se familiariser avec l'objet de leur crainte. C'est par un contact direct qu'elles pourront souvent surmonter leurs peurs des choses qu'elles avaient auparavant évitées. En effet, les humains peuvent difficilement demeurer effrayés de pratiquement n'importe quoi quand ils sont devenus familiers avec l'objet de leur frayeur. Les hauts plateaux des montagnes, les combats corps-à-corps sanglants, les océans balayés par le vent, même ces choses semblent moins effrayantes pour la plupart des gens qui sont en contact régulier avec elles. De plus, quand ils continuent de pratiquer quelque activité, les gens y acquièrent de l'habileté. Cette compétence accrue les aide à chasser la plus grande et la plus répandue de toutes les peurs du monde actuel: la peur de l'échec.

D'ailleurs, éviter la peur la renforce. Si vous fuyez devant les choses que vous trouvez "dangereuses" vous vous empêchez de vous familiariser avec elles ou d'y faire face. Vous réduisez temporairement votre anxiété mais vous contribuez à vous rendre encore moins disposé à affronter ce dont vous avez peur. Vous — et vos amis névrosés — non seulement alors demeurez-vous déraisonnablement effrayés, mais vous évitez aussi de faire ce que vous craignez, et finissez par en augmenter le "danger".

Vous pouvez utiliser un certain nombre de techniques pour aider les "névrosés" à affronter leurs peurs. Par exemple, vous pouvez servir d'excellent modèle en posant vous-même les actes qu'ils redoutent et en défiant leur "terreur". Ou encore, vous pouvez les accompagner quand ils essayent de faire ce qu'ils ne pourraient pas affronter seuls, comme de faire un voyage en avion. Occasionnellement, vous pouvez les amener par ruse à faire une chose qu'ils trouvent terrifiante, peut-être leur faire expérimenter leur premier voyage en avion, en prétextant que votre voiture est en panne et que l'avion reste le seul moyen pratique de transport pour le moment.

Plus fréquemment, vous pouvez inciter les personnes perturbées à affronter leurs peurs en leur offrant quelque stimulant, par exemple payer leurs vacances si elles utilisent l'avion plutôt que le train ou l'autobus. Ou encore, vous pouvez quelquefois les conditionner à tenter une expérience redoutée en l'associant à une expérience plaisante. Bien entendu, le choix de ces doubles activités pourrait varier selon chaque cas individuel.

Par des moyens loyaux ou mensongers, d'une manière ou d'une autre, vous pouvez inciter vos amis névrosés à continuer de poser des actes dont ils ont peur et ainsi ils perdront souvent leurs peurs et pourront même commencer à aimer les choses "effrayantes". Rien n'amène le succès comme le succès. Si vous pouvez aider ces personnes à affronter des gens ou des choses qui les effraient d'une façon irrationnelle, normalement elles surmonteront leurs attitudes négatives à l'égard de ces gens et de ces choses.

Il y a plusieurs années, avant même que j'aie l'idée de pratiquer la psychologie, je m'étais lié d'amitié avec un garçon exceptionnellement timide, Roger, qui désirait ardemment avoir du succès auprès des femmes. Mais il avait rarement le courage de les inviter et quand, occasionnellement, il y parvenait, il était incapable de leur faire la moindre avance. Il était si hésitant à cet égard qu'il aurait pu connaître une femme pendant des mois sans jamais essayer de lui prendre la main ou de l'embrasser pour lui souhaiter bonne nuit.

Je voulais aider Roger mais je ne savais pas exactement quoi faire. Je demandai alors l'aide de ma propre amie, Roberta, une personne enjouée et très sociable. Elle s'attaqua au problème immédiatement et me fit part de ce qui me sembla être une solution pratique. Chaque fois que j'attendais la visite de Roger, j'en informais Roberta. Elle s'arrangeait alors pour venir chez-moi, accompagnée d'une de ses plus séduisantes et intelligentes amies; heureusement, elle en avait plusieurs. Alors, après quelque temps chez-moi, elle voyait à ce que je la reconduise chez-elle, laissant naturellement Roger avec l'autre jeune femme.

Nous avons essayé cette tactique à plusieurs reprises et bientôt elle commença à donner des résultats. Non seulement Roger rencontra-t-il ainsi plusieurs femmes, mais Roberta s'arrangea subséquemment pour lui laisser savoir qu'il avait fait sensation avec celle-ci ou celle-là et qu'elles désiraient vivement le revoir. Il commença bientôt à se sentir à l'aise en parlant avec elles et, en plus, à croire qu'il pouvait leur faire bonne impression.

Après un certain temps, Roger commença à acquérir une image entièrement différente de ses prouesses, se voyant maintenant comme un jeune homme séduisant. Encouragé par cette image, il devint audacieux, et commença à faire des propositions affectueuses et à obtenir des consentements dans un pourcentage raisonnable d'essais. Avant longtemps, il commença à se voir comme une sorte de jeune Casanova! Toute l'aventure prit fin quand il commença à sortir régulièrement avec une femme. Il a fini par l'épouser, en fait plusieurs années avant que mon amie ou moi — d'ailleurs nous nous sommes séparés — n'envisagions de nous engager dans la vie conjugale!

Les "névrosés" peuvent quelquefois être aidés par l'interprétation des raisons spécifiques de la persistance de leurs troubles émotifs. Mais les amateurs feraient mieux d'utiliser cette méthode avec une extrême prudence! Même entre les mains d'un psychothérapeute expérimenté, l'interprétation détaillée des causes de la névrose s'avère souvent une épée à double tranchant, à utiliser avec circonspection.

Pour faire une interprétation spécifique, un thérapeute conventionnel dira généralement quelque chose comme ceci: "Allons! Vous dites que vous croyez votre rancune à l'égard de votre patron issue du manque de considération qu'il a pour vous. Est-il possible, cependant, que vous ne voyiez pas l'histoire complète? Ne croyez-vous pas qu'en fait vous détestez votre patron, au moins en partie, parce qu'il ressemble à votre père et parce que vous transférez sur lui certaines des anciennes attitudes que vous aviez à l'égard de votre père?"

Le thérapeute peut encore dire: "En se basant sur ce que vous m'avez raconté, vous semblez, en surface, aimer tendrement votre mère et vous paraissez peiné de lui briser le coeur par votre comportement fautif. Cependant, vos actes eux-mêmes semblent indiquer que vous faites tout votre possible pour lui causer cette peine que vous prétendez vouloir lui épargner. Ne se peut-il pas qu'inconsciemment vous détestiez votre mère et que presque délibérément vous continuiez d'agir comme vous le faites, parce que vous réalisez que c'est la façon de lui faire le plus de mal?"

Ce genre d'interprétations spécifiques faisant la relation entre les pensées et le comportement conscient d'un individu et ses sentiments inconscients, constitue l'un des aspects importants d'une psychothérapie suivie ou d'une psychanalyse. Le thérapeute peut faire de telles interprétations parce qu'il a une vaste connaissance de la personnalité humaine, parce qu'il connaît son client à fond, et parce que sa formation lui permet de choisir les interprétations vraies et utiles parmi plusieurs interprétations fausses et inutiles. Même alors, le thérapeute peut souvent formuler des interprétations fausses et il doit être prêt à admettre ses erreurs et à les rectifier par de meilleures interprétations.

Puisque, en tant que "thérapeute-ami", vous n'avez pas l'entraînement pour choisir l'interprétation exacte, et parce que, plus souvent qu'autrement, vous pouvez vous égarer en le faisant, soyez sur vos gardes, avant de vous aventurer dans cette région de la thérapie, quand vous tentez d'aider un "névrosé". Habituellement, si vous faites des interprétations, il vaudrait beaucoup mieux ne les faire que quand de bons rapports existent entre vous et vos amis "névrosés". Il vaudrait également mieux pour vous de ne pas essayer de les leur faire avaler bon gré mal gré. Faites donc des interprétations avec précaution et à titre d'essai, sans prétention. Au lieu de dire: "Puisque vous faites ceci et pensez cela, manifestement il doit s'ensuivre telle chose", dites plutôt: "Compte tenu des faits que vous rapportez, est-il concevable que vous fassiez aussi telle autre chose?"

Si vous n'essayez pas de jouer au psychanalyste et ne projetez pas vos propres troubles émotifs sur les autres, vous pouvez aider un ami névrotique à découvrir certains éclaircissements sur son comportement. Si vous vous attardez aux points généraux plutôt qu'aux points spécifiques, vous restez sur un terrain plus sûr. Ainsi, vous pouvez, sans risque d'erreur, présumer que les "névrosés" continuent de se répéter à eux-mêmes que quelque chose d'effroyable et de terrible peut arriver et qu'ainsi ils créent leurs troubles émotifs. Mais vous ne pouvez pas découvrir facilement ce qu'ils interprètent comme effroyable. Par conséquent, vous pouvez plus sûrement essayer de les aider à découvrir eux-mêmes quelles sont les "terreurs" qu'ils inventent.

Vous pouvez en particulier utiliser des interprétations générales de ce genre avec des individus qui refusent une aide thérapeutique. Quelquefois vous pouvez les amener chez un thérapeute en commençant d'abord par de telles interprétations générales, puis en leur expliquant alors que vous n'avez pas la formation pour aller plus loin. Mais attention, surveillez-vous! Peu importe que vous demeuriez aimable ou prudent, il est possible que vous alliez plus loin que vos amis perturbés sentent qu'ils peuvent le supporter. S'ils résistent et prennent une attitude défensive, ou s'ils semblent agités ou dépressifs, consultez un psychothérapeute professionnel avant d'aller plus loin.

Vous pouvez plus sûrement essayer d'aider les "névrosés" en leur prodiguant conseils et soutien. Par définition, la plupart d'entre eux ont de la difficulté à se tenir sur leurs pieds, et recherchent alors les conseils des autres. Mais, quel est le meilleur conseil à leur donner? Toute une question!

Dans l'ensemble, tenez-vous-en à la planification coopérative. Par exemple, au lieu de simplement dire à vos amis névrosés quoi faire (et de pratiquement le faire pour eux) planifiez *avec* eux et donnez-leur l'impression qu'ils ont élaboré la plus grande partie des plans.

Si vous procédez autrement, ils pourront percevoir un conseil donné avec la meilleure intention comme une critique de leur propre incapacité à solutionner leurs problèmes. Ou encore ils peuvent accepter votre appui avec tellement d'enthousiasme qu'ils se rendront eux-mêmes complètement dépendants de l'aide extérieure. Inculquer aux "névrosés" l'idée qu'ils pensent et agissent *avec* plutôt que *par* vous contribue à les aider plus efficacement à changer leur comportement.

Vous aurez avantage à choisir le bon moment pour prodiguer vos conseils et votre appui. Moins les gens fonctionnent par eux-mêmes, plus ils peuvent utiliser votre soutien. Si réellement ils ne semblent pas travailler efficacement, ont des idées et des sentiments confus, agissent comme des enfants et continuent de se mettre les pieds dans les plats, admettre une certaine dépendance de leur part pour un temps peut leur faire le plus grand bien.

Si vos amis "névrosés" semblent "gâtés", c'est-à-dire réellement capables d'agir par eux-mêmes mais exigeant que les autres vivent leur vie à leur place, leur donner trop d'appui peut les encourager à rester dépendants à tout jamais. Ou encore, s'ils se sont déjà senti démunis, mais que maintenant ils se sentent plus forts et prêts à faire des pas en avant, trop d'appui peut être nuisible. En général, essayez de donner le degré d'appui dont les "névrosés" semblent avoir besoin à un certain moment, mais n'exagérez pas cet appui pour répondre à vos propres désirs de domination.

Il y a plusieurs années, j'ai traité une femme qui paraissait exceptionnellement troublée, après avoir été rejetée par plusieurs amants. Par erreur, j'ai tenté, pour un temps, de la tenir éloignée d'autres aventures émotives dans lesquelles elle aurait pu se faire du mal à nouveau. Toutes les fois qu'elle me parlait d'un homme qu'elle avait rencontré, je la poussais à découvrir toutes les informations possibles à son sujet, et à accueillir ses attitudes bienveillantes envers elle avec scepticisme.

Les choses allèrent assez bien pour un temps, probablement parce qu'elle fit en sorte d'éviter toute implication trop étroite. Mais un jour, elle sembla être au bord du précipice une fois de plus. Elle avait rencontré un homme "fantastique" et bientôt tomba intensément en amour avec lui. De son côté, il semblait partager ses sentiments, mais je demeurais sceptique. Apparemment, il avait des qualités remarquables, et je me demandais jusqu'à quel point il pourrait s'attacher à ma cliente qui, quoique charmante, avait des troubles émotifs évidents.

Je fis donc tout ce qui fut possible pour aider ma cliente à freiner ses sentiments pour ce nouvel amant et à mettre en doute ses attitudes à son égard. Sans effet. "Je suis certaine" insistait-elle, "que je ne m'illusionne pas à son égard comme je l'ai fait pour les autres. Et je sais que je peux prendre soin de moi cette fois, même si cette aventure tourne mal".

"Très bien", lui dis-je, "mais n'oubliez pas les risques inévitables".

"Je les prendrai volontiers".

Je ne pouvais faire plus. En dépit de mes appréhensions, elle continua son aventure. Quelques semaines plus tard, mes pires prévisions semblaient se confirmer. Son nouvel ami se révéla être volage, et elle eût de la difficulté à découvrir quels étaient ses vrais sentiments à son égard. A ma grande surprise, cependant, elle se tira d'affaire avec une maturité et un calme peu communs, et non seulement refusa-t-elle de se faire du mal, mais elle impressionna tant son ami avec son bon sens et sa stabilité que ses propres doutes se dissipèrent. Quelques mois plus tard, ils se marièrent, et à ma connaissance, ils sont encore heureux. Ce cas me donna une bonne leçon: ne pas sous-estimer la capacité d'un individu à surmonter ses troubles émotifs. Si une personne "blessée" en amour ne se permet pas, plus tard, d'autres risques, elle peut conserver sa tendance à se diminuer à cause d'un rejet, et peut rester aussi névrosée qu'auparavant.

Vous pouvez souvent mieux aider les personnes souffrant de troubles émotifs par des actes plutôt que par des paroles et en étant vous-même un bon modèle. Fréquemment, ces personnes imitent le comportement de piètres modèles, particulièrement leurs parents. Si vous pouvez servir de meilleur modèle, elles commenceront bientôt à s'identifier à vous et imiteront votre comportement plus sain.

Nous sommes souvent plus persuadés par de bons exemples que par toute autre méthode d'enseignement. Quand quelqu'un nous conseille de faire tel placement, ou d'acheter dans tel magasin, nous sommes portés à avoir plus confiance dans son conseil si cette personne fait les mêmes placements ou achète elle-même dans ce magasin. De façon semblable, si vous demeurez calme face aux difficultés, si vous vous comportez en adulte dans vos relations professionnelles et sociales, et agissez d'une manière sensée plutôt que de façon irrationnelle, les "névrosés" auront vraisemblablement davantage confiance en vous que si vous vous comportez comme un enfant et d'une manière illogique. Peut-être que la plus efficace de toutes les méthodes utilisées pour aider les autres exige par conséquent que vous vous aidiez vous-même à résoudre vos propres problèmes et, de ce fait, à constituer un bon exemple pour eux.

Vous pouvez aussi aider des personnes plus ou moins perturbées en les amenant à s'intéresser activement à des personnes et des choses en dehors d'elles-mêmes. Car les "névrosés", en raison de leur extrême souci d'être approuvés par les autres, restent ordinairement centrés sur eux-mêmes et ne sont pas très intéressés par ceux qui les entourent. Les autres s'en rendent compte et en retour ne s'intéressent pas à eux. Ceci a pour effet de les amener à se détester encore plus, surtout quand ils réalisent qu'ils ne s'intéressent réellement à personne. Ils peuvent alors avoir honte de leur incapacité d'aimer.

Amener les "névrosés" à s'intéresser d'une manière vitale aux choses et aux gens en dehors d'eux-mêmes comporte de nombreux avantages. Cela peut les distraire de leurs soucis, leur donner une raison de vivre, augmenter leur compétence et leur succès, et fréquemment leur procurer de nouveaux compagnons qui peuvent leur servir de bons modèles.

Dès lors, si vous pouvez encourager les personnes perturbées à participer à des activités extérieures et à s'intéresser aux autres, vous pouvez grandement les aider. Bien entendu, ne les poussez pas dans des tâches trop difficiles ou dans des relations avec ceux qui pourraient les rejeter ou les condamner. Mais elles peuvent souvent avoir des contacts profitables avec beaucoup d'autres gens.

Tel qu'indiqué dans *A Guide to Rational Living*, un texte de base que j'ai écrit avec le docteur Robert A. Harper sur l'auto-contrôle rationnel-émotif, des centres d'intérêts captivants et principalement les activités créatrices constituent ce qu'il y a de mieux pour tout le monde. Si vous pouvez amener des personnes souffrant de troubles émotifs à s'occuper à écrire plutôt qu'à simplement voir des pièces de théâtre ou à peindre des toiles au lieu de seulement les collectionner, elles pourront plus facilement s'absorber dans autre chose que leurs jérémiades névrotiques.

La meilleure aide que vous pourrez souvent apporter aux "névrosés" sera de les inciter à s'intéresser véritablement à d'autres personnes. La névrose tend à prendre la forme d'une maladie sociale parce qu'elle se produit quand des personnes croient aveuglément qu'elles *doivent* bien agir et mériter l'approbation des autres, que ces autres connaissent réellement leurs limites et les détestent à cause de ces imperfections et que par conséquent elles doivent se condamner. Un antidote contre le besoin désespéré d'obtenir l'approbation des autres est constitué par l'intérêt réel porté à ces autres. Un tel amour non seulement encouragera les autres à aimer en retour, mais de plus, il permettra à ces personnes de demeurer calmes devant la perspective d'être rejetées.

Acquérir l'amour des autres est effectivement fort agréable. Mais il est de loin plus agréable d'aimer activement soi-même. On peut considérer qu'être aimé est une occupation passive qui devient facilement insipide et ennuyeuse. Mais aimer amène un engagement vital, une interaction active entre vos impulsions intérieures et votre entourage. L'amour, ou une implication concrète dans un élément extérieur à vous-même, aide d'ailleurs à pallier aux problèmes de l'égocentrisme névrotique. En vous intéressant à aider quelqu'un d'autre à grandir et à se développer, vous choisissez un but constructif; il vous reste ainsi peu de temps pour vous rendre inutilement anxieux. Vous apprenez des choses importantes sur l'état de vos propres sentiments, et connaissez des expériences émotives inestimables en vue de votre croissance.

Il y a plusieurs années, quand je travaillais dans une maison de santé, le directeur vint me voir un jour pour discuter du problème d'une des "dames en gris", une bénévole attachée à l'institution. Cette femme agissait d'une manière rigide manifestement perturbée et le directeur hésitait à l'accepter. Mais il l'accepta finalement, parce qu'elle s'entendait si bien avec les autres "dames en gris".

Une fois admise dans le personnel, elle accomplit bien son travail et gagna l'amitié de tous les pensionnaires de l'institution qu'elle côtoyait. Là était le problème, me disait le directeur: elle en fait tellement pour ces pensionnaires, au point de correspondre avec eux longtemps après leur départ de l'institution, que quelques membres du personnel professionnel se demandent si elle n'établit pas des relations malsaines avec eux.

Je ne voyais pas grand mal qui puisse résulter de ces rapports, je pensais plutôt qu'ils pouvaient conduire à un certain bien-être, puisque cette femme et les pensionnaires désiraient des liens émotifs amicaux. Je recommandai donc que l'institution lui permette de demeurer membre du groupe des bénévoles.

Heureusement, je vis juste. Non seulement la dame demeura-t-elle une des meilleures travailleuses bénévoles mais elle y gagna tellement à se dévouer elle-même pour aider les autres, qu'elle en vint à se sentir beaucoup moins perturbée. Quoiqu'au début elle se détestât, elle acquit tellement de vitalité et de plaisir que presque tout le monde commença à s'apercevoir de son amélioration.

Après quelques mois, elle se comportait si bien que, à la suggestion du directeur, elle commença à penser à se faire une carrière en travail social. En dépit du fait qu'elle était âgée de quarante-cinq ans, elle retourna aux études et obtint son diplôme de travailleuse sociale. Bien qu'elle ne reçut jamais de traitement direct, la psychothérapie indirecte obtenue par le biais de son intérêt actif pour les autres l'aida à surmonter certains de ses sérieux problèmes.

Si vous encouragez les "névrosés" à s'intéresser aux autres, vous pouvez leur rendre un grand service. Mais ceci peut s'avérer difficile, car leur peur du rejet peut les empêcher d'établir des relations avec les autres. Dans de tels cas, vous pouvez les aider à briser leurs résistances émotives de diverses manières.

Pour vous assurer qu'ils rencontrent de nouvelles et intéressantes personnes, présentez-les à quelques-uns de vos propres amis, amenez-les à des soirées ou à des réunions, ou incitez-les à se joindre à des groupes sociaux. Parlez en bien des gens qu'ils peuvent éventuellement rencontrer jusqu'à ce qu'ils désirent faire leur connaissance.

Vous pouvez aider les personnes perturbées à mieux s'accorder avec les autres en leur montrant que ces autres ne s'opposent pas à leur amitié mais souvent, au contraire, la souhaitent. Rappelez-leur que les autres personnes ont aussi des problèmes et peuvent, à cause de cela, les rejeter. Montrez-leur que les autres peuvent leur manifester de l'intérêt et leur procurer des contacts précieux.

Encouragez-les quand elles essuient un échec temporaire dans une relation. Expliquez-leur pourquoi certains individus peuvent ne pas montrer beaucoup d'enthousiasme et ce qui peut contribuer à leur en donner. Montrez-leur comment elles peuvent apprendre à ne pas prendre trop au sérieux les attitudes négatives des autres. Si vous les poussez à développer des habitudes sociales, leurs amitiés pourront, avec le temps, grandir, en dépit de quelques reculs.

Ainsi donc, vous pouvez, de diverses façons, aider les personnes perturbées à nouer et maintenir des contacts intimes avec les autres, et de ce fait à s'accomplir elles-mêmes. Et en agissant ainsi, vous pourrez réussir à les amener à bâtir des relations affectueuses avec les autres, ce qui minimisera réellement leur égocentrisme névrotique.

Vous pouvez recourir à une autre source d'aide, c'est-à-dire convaincre vos amis ou parents névrosés de rechercher une aide professionnelle. Les personnes perturbées n'acceptent pas facilement de l'aide, et érigent fréquemment des systèmes de défense contre elle. Même quand elles reconnaissent la profondeur de leurs névroses, elles se sentent souvent rendues si loin, si désespérées, qu'elles ne peuvent rien faire pour améliorer la situation. Malgré vos objurgations, elles n'essaieront même pas d'aller mieux. En de telles circonstances, elles peuvent très bien tirer profit d'une psychothérapie intensive.

Pour compliquer davantage les choses, vous n'arriverez peut-être pas facilement à vaincre les réticences qu'éprouvent les "névrosés" à accepter une thérapie. Souvent ils prétendront que l'aide professionnelle coûte trop cher. Ils prétendront qu'ils ne disposent pas du temps nécessaire. Ils vous rappelleront qu'ils connaissent quelqu'un pour qui la thérapie ne fut pas bénéfique. Ils diront qu'ils ont peur de se sentir psychologiquement déchirés et redoutent de ne pas savoir comment retrouver un équilibre après cela. Comment, dès lors, pouvez-vous aider des "névrosés" à accepter la psychothérapie? Certainement pas par la critique! Il ne vous servira à rien d'expliquer les mérites de la psychothérapie et d'affirmer votre propre confiance en elle. Il ne vous servira à rien non plus de les talonner.

Premièrement, persuadez-les que vous voulez les aider mais que vous avez moins d'habileté qu'un thérapeute compétent.

De plus, si possible, faites-leur rencontrer des gens qui ont vécu une thérapie et qui en ont tiré profit. Ou encore, si vous avez parmi vos amis un bon thérapeute, vous pouvez faire en sorte qu'ils se rencontrent afin qu'ils puissent voir à quoi ressemble un représentant de la profession.

Présentez ceux que vous voulez aider à des personnes cultivées et instruites qui reconnaissent la valeur de la psychothérapie. Si des individus perturbés connaissent uniquement des individus sans éducation et défensifs, plusieurs d'entre eux ayant fui la thérapie, ils continueront de donner foi au vieil adage que seuls les "fous" se font traiter. Essayez de leur montrer qu'on ne peut pas appeler la plupart des clients de la thérapie "fous" mais plus précisément les décrire comme des gens qui ont de sérieux problèmes. Si vous avez déjà subi une thérapie vous-même, vous pouvez peut-être trouver utile d'en parler à vos amis névrotiques et leur montrer comment vous en avez bénéficié. Si l'un d'entre eux montre de l'intérêt, vous pouvez alors quelquefois trouver utile de rencontrer d'abord le thérapeute vous-même et d'expliquer les problèmes de votre ami, spécialement en ce qui a trait à sa répugnance d'entreprendre un traitement. Vous pouvez ainsi préparer le thérapeute à surmonter les hésitations de votre ami et l'aider à entreprendre une relation thérapeutique.

Parfois, c'est par un peu de ruse que vous pouvez amener quelqu'un à commencer une thérapie, particulièrement une personne qui désire réellement recevoir un traitement professionnel mais qui ne se décide pas à faire les premiers pas.

Dans ces conditions vous pouvez utiliser la ruse pour l'amener au bureau du thérapeute, ne fut-ce que pour une unique visite. Par exemple, certains de mes clients me rencontrent, au début, soi-disant dans le but de discuter le problème de quelqu'un d'autre: celui d'une épouse, d'une soeur, d'un parent, d'un enfant. De cette façon, ils apprennent à me connaître un peu, concluent que je peux les aider et décident de commencer une relation thérapeutique.

J'ai eu une telle expérience quand je rencontrai un homme dont l'épouse, selon ses dires, avait de sérieux problèmes émotifs, mais n'était nullement intéressée à entreprendre une thérapie. Le mari et moi discutâmes de la façon dont nous pourrions amener sa femme à venir me voir, mais quelles que fussent les suggestions offertes, il les refusait toutes, craignant qu'elles ne soient pas suffisamment subtiles, que son épouse s'en rende compte, et qu'elle refuse catégoriquement de venir.

Finalement, je lui suggérai de dire à son épouse qu'il s'inquiétait de sa fille de sept ans qui semblait avoir un problème de comportement, que lui-même était incapable de me brosser un tableau juste de ses difficultés, et que j'aimerais rencontrer son épouse pour discuter des problèmes de la fillette.

Comme il me l'avait prédit, l'épouse prit immédiatement rendez-vous pour discuter de sa fille avec moi. Mais à peine entrée dans mon bureau elle commença à parler de ses propres difficultés, spécialement de celles qu'elle vivait avec son mari. En moins de quinze minutes, elle était complètement convaincue qu'elle pourrait tirer profit du traitement. Quand la première rencontre prit fin, nous avions déjà pris une série de rendez-vous pour l'avenir. Quand le mari apprit les résultats de mon entretien avec sa femme, il fût si stupéfait, qu'il crut que je l'avais hypnotisée pour la faire accepter. En fait, je n'ai rien fait d'autre que d'écouter avec sympathie ses plaintes et lui montrer qu'avec une psychothérapie régulière, elle pourrait trouver le moyen d'attaquer la base de ses troubles émotifs.

Cela ne veut pas dire que les personnes qui luttent contre la thérapie n'acceptent de s'y engager que si on les y amène par ruse. Généralement, une telle méthode n'apporte que peu de résultats parce que, à moins qu'elles ne désirent de l'aide, ordinairement elles ne l'accepteront pas. Mais d'innombrables "névrosés", loin de résister avec ténacité à la thérapie, semblent plutôt ambivalents à son égard: ils la désirent et la craignent à la fois. Plusieurs d'entre eux, après quelques contacts avec un psychologue compétent, arrivent facilement à poursuivre le contact.

Est-il possible que ceux qui ne veulent pas d'une thérapie l'acceptent parfois, et obtiennent de bons résultats? Etonnamment, parfois oui. J'ai déjà eu des clients qui m'étaient envoyés par la cour après avoir commis quelque délit. Bien qu'au début ils vinrent uniquement parce qu'un juge les forçait à venir, ils devinrent plus tard des clients sérieux et engagés et accomplirent des progrès considérables.

J'ai aussi reçu des clients qui vinrent pour une seule raison: l'insistance de leurs époux ou de leurs épouses. La plupart d'entre eux se sont montrés difficiles et plusieurs abandonnèrent la thérapie après quelques rencontres, avec peu de résultat. Mais plusieurs d'entre eux, à ma propre surprise, traversèrent une période initiale de résistance et puis se mirent à la tâche comme des clients sérieux.

En dernier ressort, quand aucune tactique ne donne de résultats, vous pouvez trouver opportun de donner à vos amis ou parents "névrosés" un ultimatum précis: à moins qu'ils n'acceptent une aide professionnelle, vous ne les aiderez plus et ne consentirez même plus à les fréquenter. Normalement cette méthode ne vous donnera pas de résultats mais dans certains cas elle en donnera.

Dans l'ensemble, aider un "névrosé" ou l'aider à obtenir de l'aide comporte de réelles difficultés. Mais si réellement vous vous intéressez à une personne perturbée et désirez l'aider à surmonter ses problèmes émotifs, vous pouvez y découvrir l'une des tâches les plus gratifiantes que vous ayez jamais entreprises. En tout cas, donnez une chance à vos amis ou parents "névrosés". Vous n'avez rien à perdre, et souvent beaucoup à gagner.

Chapitre 6

Comment vivre
avec une personne
qui demeure névrosée

Presque tous les "névrosés" peuvent s'améliorer, s'ils demandent de l'aide et travaillent sans relâche à leur propre amélioration. Mais bon nombre d'entre eux, pour une raison ou pour une autre, ne tenteront pas de vaincre leurs troubles émotifs.

Parfois ils se sentent trop âgés et trop fatigués pour faire cet effort. Parfois ils ne feront rien tout de suite tout en espérant faire quelque chose plus tard. Quelquefois le processus "névrotique" est si avancé qu'ils ont peu de motivation pour changer. Ou encore ils se sont tellement écrasés eux-mêmes qu'il ne leur reste que peu de confiance pour continuer à se battre pour changer. Souvent aussi ils craignent le changement, y compris le changement positif. Ils peuvent également s'accommoder assez bien de leurs troubles et ne pas vouloir changer.

Sans doute tous les "névrosés" peuvent-ils arriver à un mieux-être, mais un bon nombre d'entre eux n'y réussiront pas. Même une psychothérapie sérieuse pourrait se solder par un échec, puisqu'ils peuvent ne pas vouloir se servir de ses enseignements.

Imaginez-vous que vous vivez avec une personne passablement troublée qui ne veut tout simplement pas accepter votre aide ni celle de quiconque. Ceci pourrait vouloir dire que votre époux, un parent ou un associé avec qui vous avez d'excellentes raisons d'entretenir un contact intime, s'entête à demeurer névrosé. Comment, dans ces conditions, pouvez-vous vivre avec une telle personne sans être bouleversé vous-même? Voyons ensemble quelques-unes des techniques primordiales que vous pouvez utiliser.

Premièrement, acceptez d'une façon intégrale et sans équivoque le fait que les gens perturbés agissent souvent d'une manière bizarre et déplaisante. J'ai choisi les mots "intégrale" et "sans équivoque" soigneusement.

Ceci peut sembler un point sans importance. Mais non! "Bien entendu" me disent les gens. "Je sais qu'un tel agit d'une façon névrotique. Je le connais depuis nombre d'années. Naturellement, je tiens compte de son problème."

Inexact! Ces personnes *croient* savoir qu'un tel se comporte d'une façon névrotique; elles le savent d'une manière *imprécise*. Elles ne le savent pas, cependant, vraiment profondément. Et cela fait toute la différence: différence entre reconnaître une névrose d'une façon imprécise et la connaître réellement.

Prenons un exemple. Un de mes amis fréquentait une femme depuis deux ans et me parlait sans cesse de son comportement perturbé, mais de toute manière il décida de l'épouser parce qu'il désirait une compagne attachante et intelligente. Quelques semaines après son mariage, il revint me voir en se plaignant amèrement: "Elle ne fait rien. Elle ne veut pas lire, elle ne veut discuter d'aucun sujet intéressant, elle ne veut pas non plus visiter qui que ce soit. Elle reste assise sur son derrière toute la journée sans rien faire. Comment puis-je vivre avec une femme pareille?"

Je lui demandai: "Mais à quoi t'attendais-tu donc de la part d'une 'névrosée'?"

"Oh, je connais sa névrose, mais..." Et il se lança dans une autre tirade.

Cet homme cependant ne voyait pas réelement les troubles de son épouse. S'il avait vu clair, il aurait prévu qu'elle pût agir de façon désagréable, en se comportant exactement comme elle le faisait. De toute évidence, il ne s'attendait pas du tout à un tel comportement et se sentait atterré quand elle agissait d'une manière névrotique. Il disait voir sa névrose sans équivoque. Il le croyait. Mais non! Cela me prit encore un certain temps à le convaincre de l'état réel de son épouse et à l'aider à *véritablement* la voir comme une "névrosée".

Attention! Si vous voulez vivre en paix avec des personnes perturbées, attendez-vous à ce qu'elles agissent d'une manière névrotique. Si vous vous attendez à ce qu'elles agissent d'une façon parfaitement sensée, rationnelle et saine, qu'est-ce que cette attente démontre de votre propre faculté de raisonner? Vous continuerez alors de voir vos espoirs s'élever pour ensuite s'anéantir. Je crois que personne ne s'attend à ce qu'un enfant agisse comme un adulte, ou un professeur comme un va-nu-pieds. Pourquoi alors vous attendez-vous à ce qu'un "névrosé" se comporte comme quelqu'un de bien équilibré, comme un individu en pleine maturité?

Reprenons à nouveau, car vous trouverez probablement que c'est le principe *le* plus important pour vivre agréablement avec des "névrosés". Vous feriez mieux de les accepter *sans réserve* comme des gens perturbés et vous attendre à ce qu'ils agissent en conséquence. N'exigez pas qu'ils semblent stables, sains, rationnels, logiques, bien équilibrés, sobres, mûrs, dignes de confiance, fermes, travailleurs, ou tout ce que vous pourriez désirer trouver — et que souvent vous ne trouverez même pas — chez les non-"névrosés". Parfois, tout particulièrement pour de courtes périodes, ils peuvent se comporter d'une manière logique et raisonnable. Mais ne vous y trompez pas. Les "névrosés" ne se comporteront pas ainsi indéfiniment. S'ils le pouvaient et le voulaient, on ne pourrait pas les appeler "névrosés"! Ne pas accepter les personnes avec leurs perturbations revient à les blâmer d'en être affectées. Et cela contribue à les inciter à être encore plus perturbées. Car la névrose origine en grande partie dans le fait que les gens intériorisent et s'approprient les critiques venant des autres.

Vous pouvez condamner des personnes directement ou indirectement. Le blâme indirect peut transparaître dans votre désarroi. Ainsi, si vous vous sentez troublé face au comportement de vos proches, ils se rendront compte par votre attitude, sinon par vos paroles, que vous trouvez "effroyable" et "terrible" de les voir se comporter comme ils le font. Se rendant compte de la chose, des individus troublés se rendront eux-mêmes souvent encore plus névrosés.

On peut attribuer beaucoup de nos difficultés actuelles au grand nombre de "névrosés" agissant d'une manière typiquement troublée et au grand nombre de ceux qui refusent complètement de les accepter avec de tels comportements. Si seulement chacun de nous — névrosé ou équilibré — voulait accepter avec réalisme le fait que les "névrosés" agissent d'une manière névrotique, nous nous sentirions moins révoltés et expérimenterions moins de confusion quand des gens agissent "mal".

Fort bien! Ainsi Dupont se soûle chaque soir et fait du vacarme. Ainsi Durand vous inflige un affront dans la rue. Ainsi madame Dubois épie les activités de sa voisine. A quoi pouvons-nous nous attendre de la part de "névrosés" comme Dupont, Durand ou madame Dubois? Qu'ils se conduisent avec sobriété, gentillesse et intelligence? Autant s'attendre à ce que le noir semble blanc ou qu'un voleur se fasse le défenseur de la loi.

En tâchant d'accepter les "névrosés", ne vous laissez pas aller à croire que leur comportement vous vise personnellement. Il va sans dire qu'en raison de leurs troubles, ils agiront souvent d'une manière négative. Mais aussi souvent qu'autrement ils vous traiteront comme ils traitent ordinairement les autres personnes et fréquemment, de la même façon dont ils se traitent eux-mêmes. Ils peuvent sembler agressifs et stupides par leurs actions. En fait, en raison de leur névrose, ils se poussent tout bonnement eux-mêmes à poser des actes agressifs et stupides.

Même quand des "névrosés" font exprès pour causer du tort à quelqu'un, il y aurait lieu de ne pas présumer qu'ils ont un motif personnel pour en vouloir à un certain individu. En réalité, ils se rejettent eux-mêmes et se sentent poussés par leur haine d'eux-mêmes à haïr les autres. Les personnes prises de panique, lorsque coïncées dans un incendie, piétineront sauvagement les autres pour fuir. Mais cela ne signifie pas qu'elles haïssent ces personnes et leur veulent du mal. De même, les "névrosés" peuvent fréquemment se sentir indifférents, ou quelquefois même sympathiques envers une personne, tout en bousculant dans leur panique cette même personne. Ils ne veulent pas nécessairement agir ainsi, mais ils se sentent contraints de le faire.

Vous pourrez créer de bien meilleurs liens d'amitié avec des individus perturbés si vous apprenez à accepter ces individus et leurs actions en sachant vraiment comment et pourquoi ils se livrent à de telles actions. Si vous vous abstenez de croire qu'ils vous visent personnellement et essayez plutôt de voir les gens perturbés à la lueur de leur propre tragédie, vous pourrez les aider énormément.

Laissez-moi vous donner un exemple que j'utilise souvent avec mes clients. Supposons que vous viviez avec un "névrosé" qui d'une façon compulsive se lève chaque matin à trois heures et commence à battre du tambour. Le moins que l'on puisse dire, c'est que cette habitude vient troubler votre sommeil, et que vous désirez y mettre un terme. Que pouvez-vous faire?

Premièrement, acceptez le fait que l'habitude de

cet individu de battre du tambour résulte de sa perturbation. Il ne bat probablement pas du tambour parce qu'il vous déteste, complote votre mort ou n'importe quoi du même genre. Il éprouve simplement une impulsion "irrésistible" qu'il satisfait. Acceptez le fait qu'il éprouve cette impulsion. Ne vous fâchez pas. Souvenez-vous que d'une certaine façon cette action de battre du tambour lui cause plus de tort qu'à vous-même. C'est ce qui constitue sa névrose. Ne vous croyez pas visé. Dites-vous sincèrement que vous souffrez à cause de sa perturbation, mais que vous souffrez parce qu'il agit d'une façon névrotique et non parce qu'il vous en veut à vous!

Gardez votre sang froid. Les choses vont déjà assez mal à trois heures du matin, sans qu'il soit nécessaire de faire monter votre tension artérielle et de commettre un meurtre. Répétez-vous à vous-même, à plusieurs reprises, si la chose est nécessaire, que votre ami souffre de problèmes émotifs. Faites tout pour vous en convaincre. Et parce que vous en serez convaincu, vous serez calme, ou qui mieux est, vous déciderez calmement de changer quelque chose. *Alors,* vous pourrez beaucoup mieux affronter la situation et savoir comment agir face à ce problème.

Franchement, la meilleure chose pourrait impliquer que l'un de vous — vous ou ce "névrosé" — déménage. Si vous trouvez que vous ne pouvez pas supporter facilement ces conditions, séparez-vous de votre ami névrosé. Ne vous fâchez pas contre lui. Ne lui reprochez pas le fait qu'il soit perturbé. Avec le souci de vous protéger vous-même, faites le nécessaire pour que l'un de vous deux quitte les lieux.

Supposons maintenant que ce batteur de tambour nocturne ait vis-à-vis de vous une relation d'amitié très intime et que vous ne vouliez pas vivre séparé de lui. Ce que vous pourriez faire serait de réorganiser vos conditions de vie de façon à souffrir le moins possible de ses symptômes. Par exemple, vous pourriez l'inciter à se trouver un emploi de nuit, ce qui lui permettrait de battre du tambour seulement au cours de la journée, probablement quand vous-même êtes au travail. Exigez qu'il paye pour que la pièce qu'il habite soit insonorisée. Prenez toute autre disposition lui permettant de donner libre cours à sa névrose tout en vous permettant de dormir.

A tout événement, restez décidé et calme, afin que vous puissiez d'une façon plus efficace contrôler cette situation désagréable.

Pour continuer l'étude de ce problème, supposons qu'il ne soit pas possible d'empêcher votre ami de battre du tambour au milieu de la nuit, et que pour quelque raison, vous ne soyez pas disposé à changer vos habitudes de vie. Vous trouverez alors prioritaire de comprendre sa névrose et de refuser de vous mettre en colère à cause d'elle. Vous empêcher de dormir au cours de la nuit est déjà un problème assez sérieux. Vous ne ferez qu'aggraver les choses et dormirez encore moins si vous le détestez.

Acceptez sa névrose et ses inconvénients. Soyez vous-même fermement convaincu qu'il ne peut pas facilement s'empêcher d'agir ainsi. Dites-vous que les conséquences — pour vous et pour lui — de sa névrose signifient que vous continuez de vivre dans des conditions pénibles à moins qu'il ne change, à moins que vous puissiez arriver à maîtriser sa névrose ou que vous ne le quittiez.

Répétez-vous que les choses pourraient être encore pires. Au lieu de battre du tambour, c'est vous qu'il pourrait battre. Il pourrait tout aussi bien battre du tambour toute la nuit au lieu d'une ou deux heures seulement. Il pourrait contracter des symptômes névrotiques différents mais encore pires que les premiers. Ainsi, si vous choisissez de vivre avec cette personne perturbée, cessez de vous apitoyer sur votre sort et de vous dire que l'injustice ne *devrait pas* exister. A cause de sa névrose, vous avez de rudes problèmes. Mais sont-ils réellement *si* terribles? Et le fait de vous mettre en colère peut-il améliorer les choses? Bien au contraire, ça ne peut que les détériorer.

Restez calme et décidé. Acceptez la névrose de votre ami pour ce qu'elle est, c'est-à-dire une perturbation émotive. N'essayez pas de vous leurrer en vous disant que vous trouvez cela bon et bénéfique. Mais, d'un autre côté, n'exagérez pas non plus l'horreur de la chose. Acceptez-la entièrement et d'une manière réaliste. Alors, tout au moins, vous augmenterez la possibilité de faire éventuellement quelque chose pour l'aider.

Vous pouvez l'accepter complètement et éviter d'en être inutilement perturbé en utilisant la plus petite parcelle de compréhension de ses troubles que vous aurez pu acquérir.

Si vous comprenez vraiment les "névrosés" et continuez de vous remémorer pour quelle raison ils agissent ainsi, il vous sera presque impossible de vous rendre inutilement malheureux à cause de leur comportement.

Un autre exemple que j'utilise souvent avec mes clients: supposons que vous déambuliez dans la rue et qu'une de vos amies, accoudée à sa fenêtre, commence à vous invectiver de tous les noms. Seriez-vous de mauvaise humeur? Vous le seriez sans doute.

Mais si cette même amie était accoudée à la fenêtre d'un hôpital psychiatrique, et vous invectivait de la même manière, seriez-vous alors d'aussi mauvaise humeur? Sûrement pas!

Pourquoi! Pourquoi, dans un cas vous rendez-vous si vulnérable alors que vous ne le faites pas dans l'autre? Parce que de toute évidence, vous pardonnez à votre amie quand elle est accoudée à la fenêtre de l'hôpital psychiatrique. Vous *comprenez* qu'elle a de sérieux problèmes et que ses insultes résultent d'un trouble plutôt que de son évaluation de vous ou de tout ce que vous pouvez avoir fait. Dans ce cas, vous vous dites: "Pauvre femme! elle a bien des tracas et voilà pourquoi elle agit de cette façon. Quand elle sera guérie, elle cessera de m'insulter".

Plus vous comprendrez que les gens souffrent de névroses et que leur état permet de comprendre leurs actions, moins vous vous troublerez à propos de leur comportement. En vous servant de votre compréhension de leur perturbation, vous userez de tolérance envers leurs actions contrariantes et vous en sentirez beaucoup moins bouleversé. Au lieu de vous faire des idées, comme vous seriez sans doute porté à le faire, vous commencerez insconsciemment à mettre la pédale douce. A certains moments, votre curiosité sera piquée, vous vous demanderez pourquoi certains de vos amis agissent d'une manière particulièrement névrotique. Tant que vous demeurerez intrigué, vous ne les condamnerez pas et vous ne vous condamnerez pas vous-même.

La compréhension engendre la paix de l'esprit. Les peuples primitifs qui comprenaient très peu la nature étaient probablement terrifiés par les éclipses, le tonnerre et les feux de forêts. Parce que nous comprenons mieux ces phénomènes, nous en sommes beaucoup moins effrayés. De même, si vous ne comprenez pas pourquoi les "névrosés" agissent d'une certaine manière, vous vous sentirez démonté et inquiet devant leur comportement. Mais si vous comprenez les raisons d'un tel comportement, vous vous sentirez moins perplexe. Même si vous n'appréciez pas le comportement névrotique, une plus grande compréhension vous aidera à vous sentir calme pour l'affronter.

Vous seriez mieux d'apprendre tout ce que vous pouvez sur la névrose et d'utiliser cette connaissance en vous redisant à vous-même: "J'ai certains amis névrosés. Ils agissent ainsi à cause de leurs perturbations, desquelles ils sont en partie responsables, mais pour lesquelles ils ne sont pas condamnables. Par conséquent, je ne prendrai pas leurs névroses trop au sérieux et je ne considérerai pas qu'elles sont dirigées contre moi personnellement. Voyons si je peux comprendre clairement quelques-uns de leurs sentiments sous-jacents. Alors, même si je ne peux pas les aider moi-même, je me sentirai plus à mon aise".

Quand, pour l'instant, des personnes perturbées refusent d'être aidées et continuent de poser des actes bizarres, un peu de recul émotionnel peut constituer la meilleure façon de vous permettre de vivre plus aisément avec elles.

Prenons le cas d'un de mes clients, un garçon âgé de dix-neuf ans, victime d'une dépression. Bien qu'il semblât intelligent, bien équilibré et talentueux, ses parents le critiquaient sévèrement. Membres d'une petite secte, il leur semblait qu'il *devait* — oui, qu'il *devait* — vivre strictement en conformité avec les principes de cette secte; ces principes étaient en complet désaccord avec ceux de ses amis. Les parents s'attendaient à ce qu'il n'ait pratiquement aucune vie sociale, qu'il se consacre à des études politico-économiques et qu'il s'abstienne de toute activité sexuelle. Il aurait voulu sortir avec les filles et fréquenter ses amis.

Parce qu'il suivait ses propres penchants, ses parents le critiquaient avec encore plus de sévérité, le traitant même de vaurien, de fainéant et de mécréant, et prédisaient qu'il ne réussirait jamais en rien. Je rencontrai les deux parents et je tentai de les persuader de modérer leur critique. Sans effet. Aussitôt qu'ils réalisèrent que je ne partageais pas particulièrement leurs principes, ils se mirent à penser que j'étais moi-même un vaurien et un fainéant, et conclurent que je ne pouvais certainement ni les aider ni aider leur fils.

Puisque le fils avait un comportement de plus en plus dépressif qui aurait pu finir par l'amener dans un hôpital psychiatrique, je l'encourageai à se soustraire émotivement à l'influence de ses parents. Au début, je tentai de lui faire comprendre les perturbations dont souffraient ses parents et réaliser que leurs critiques provenaient de leurs propres sentiments d'insuffisance. Je l'aidai à s'habituer à leurs critiques: à prévoir ce qu'ils pourraient dire à son retour d'une partie de plaisir ou d'une danse, et à éviter de se sentir troublé. Je lui montrai comment ses parents étaient convaincus d'agir de leur mieux à son égard, mais aussi comment, à cause de leurs propres névroses, ils tentaient effectivement de lui faire faire tout ce qu'*eux* désiraient, sans vraiment tenir compte de *ses* désirs, de *ses* buts et de *ses* idéaux.

Peu à peu, il s'éloigna émotionnellement de ses parents. Il cessa d'en être dépendant, se soucia moins de ce que ses parents pensaient de son comportement et il comprit leurs perturbations. Les mêmes ennuis et les mêmes disputes continuaient toujours à la maison, mais maintenant il ne s'en préoccupait plus, il ne les prenait plus au sérieux. A la fin, quand il se sentit imperturbable devant tout ce que ses parents pouvaient dire, il trouva un emploi et quitta la maison. Il continua à rencontrer régulièrement ses parents, et s'accorda mieux avec eux que jamais auparavant. Mais leur profonde influence sur lui avait disparu, et il commença, pour la première fois, à vivre sa propre vie au lieu de se révolter contre le genre de vie qu'ils voulaient lui imposer.

Vous pouvez à juste titre vous soustraire émotivement à l'influence de personnes que vous aimez — par exemple vos parents — de façon à vivre vous-même en paix. Car si vous aimez un "névrosé" sans réserve et aveuglément, vous jouez avec votre vie émotive. Vous pouvez ressentir bien des genres et bien des degrés d'amour: amour réfléchi et amour irréfléchi; amour romantique et amour plus calme; amour possessif et amour permissif. Si vous aimez un "névrosé" d'un amour réfléchi, calme et permissif, vous pourrez aider davantage cette personne et entretenir une relation plus saine avec elle.

Considérons encore un autre de mes cas. Dans cet exemple, une fille ressentait beaucoup d'ambivalence envers son père: un jour elle le détestait violemment et le lendemain elle l'adorait. Il avait des comportements psychotiques et avait reçu des traitements dans de nombreux hôpitaux psychiatriques mais il n'avait jamais pu s'améliorer pour plus de quelques semaines à la fois. Il essayait de troubler sa fille en lui disant qu'elle l'avait cruellement renvoyé à l'hôpital et que si véritablement elle l'aimait, elle l'accueillerait chez-elle pour vivre avec elle et sa famille. Je constatai que si sa fille continuait de mal réagir à une telle pression émotionnelle, elle deviendrait elle-même une candidate de tout premier ordre pour l'hôpital psychiatrique.

J'ai surtout aidé la fille à cesser de se troubler des attaques de son père. Je lui fis accepter pour la première fois la perturbation de son père, lui démontrant qu'elle n'en était nullement responsable et je lui fis réaliser combien elle agissait d'une manière insensée quand elle se mettait à ses genoux ou se sentait coupable si elle ne cédait pas à ses exigences.

Réalisant peu à peu cet état de choses, elle fut de moins en moins bouleversée et changea d'une façon remarquable. Elle se mit à agir plus efficacement; elle se sentit plus près de ses enfants; ses relations avec son mari s'améliorèrent; et pour la première fois depuis de nombreuses années elle reprit goût à la vie. Quand son père lui téléphonait, elle l'écoutait avec patience, mais ne prenait pas au sérieux tout ce qu'il pouvait dire. Quand les choses se gâtèrent, elle était déjà prête. Quand il dut retourner à l'hôpital psychiatrique, elle ne se sentit pas coupable ou trop troublée. Elle comprenait la gravité de sa perturbation, mais comme il ne lui permettait pas de l'aider, elle pouvait faire bien peu pour lui.

Vous aussi pouvez agir de cette façon, c'est-à-dire vous soustraire émotivement à l'influence des autres quand vous êtes aux prises avec des personnes qui ont continuellement des problèmes. Tout en comprenant ces personnes et en vous abstenant de les condamner, il vaudra mieux ne pas vous y laisser prendre. Aimez une personne perturbée, d'accord, avec douceur et d'une manière avisée. Ne vous sacrifiez pas sans réserve, n'essayez pas d'imiter Florence Nightingale! *

En d'autres termes, ne permettez pas que vos amis névrosés ou psychosés exploitent vos sentiments. Conservez une certaine distance émotionnelle envers

---

* N.D.T. - Infirmière britannique très réputée, décédée à Londres en 1910 à l'âge de 90 ans, qui s'occupa très activement tout au long de sa vie de problèmes hospitaliers.

eux et gardez de l'espace dans vos relations avec eux. Quoique charmantes et intelligentes, ces personnes "névrosées" ont généralement une faible capacité amoureuse, à cause de leurs limites névrotiques. Elles ne peuvent que peu vous offrir parce qu'elles sont trop centrées sur elles-mêmes. Si vous donnez de vous-même sans réserve, elles ne pourront souvent pas vous rendre en retour le même type d'amour.

Cependant, si vous trouvez que les "névrosés" que vous aimez sont changeables, tant mieux! S'ils veulent travailler à vaincre leur perturbation et apprendre à aimer davantage, soyez généreux de votre aide. Mais s'ils abandonnent et refusent carrément d'essayer de travailler dans le but de s'améliorer, méfiez-vous! Pour vous protéger, retirez-leur quelque peu votre attention, ou, si la chose s'avère nécessaire, mettez un terme à votre relation d'amitié.

Habituellement il ne vous sera pas nécessaire d'utiliser des moyens aussi radicaux. En règle générale, même les "névrosés" gravement atteints sont capables d'entretenir une relation d'amitié, et il vous sera facile d'avoir certaines relations amicales avec eux. Mais agissez en connaissance de ces limites; ne vous dupez pas vous-même en croyant qu'ils aiment profondément. A moins que vous n'ayez le goût d'un amour non partagé, soyez quelque peu réservé avec les personnes perturbées. Et si votre relation tourne mal, agissez sagement en effectuant un retrait stratégique. Pensez à vous d'abord, car un ami intime "névrosé" peut ne pas s'en soucier.

Il arrive quelquefois qu'émotivement ou littéralement, vous ne puissiez pas quitter des personnes qui ont des comportements névrotiques graves. Que pouvez-vous faire pour vivre agréablement avec elles?

Vous pouvez acquérir une philosophie de vie plus réaliste et plus stoïque. Vous pouvez utiliser votre tête aussi bien que votre coeur pour surmonter presque toutes les difficultés, y compris celles qui surgiront si vous décidez de vivre avec des personnes névrosées.

Une philosophie de vie rationnelle et réaliste comporte plusieurs hypothèses sensées. Premièrement, ce monde est rempli de graves difficultés et d'injustices, mais vous n'êtes pas forcé de gémir ou de vous mettre en colère. Ceci ne veut pas dire que quand les choses ne sont pas comme vous aimeriez qu'elles soient, vous ne devriez pas tenter de les changer. Bien entendu, faites un effort! Mais quand vous vous rendez compte que les choses sont immuables — comme cela se produit souvent — ne gémissez pas et ne vous troublez pas à ce sujet.

Bien des soi-disant adultes exigent que le monde soit comme ils le désirent. Ils croient que le monde leur doit la vie. Ils prétendent que quand ça va mal, il n'y a *aucune* justice, ni *aucune* bonté. Les adultes qui ont de la maturité pensent autrement. Ils savent que nous ne sommes pas dans le meilleur des mondes et qu'il existe quantité de choses désagréables et injustes. Ils réalisent que des événements plus agréables *peuvent* se produire. Mais ils ne l'exigent pas. En fait, les personnes sages évitent presque toutes les formes d'obligation ou d'exigence.

Quand vous avez une attitude rationnelle, vous faites de la vie votre but primordial: expérimenter, voir, agir, sentir, exister. Vous tentez d'obtenir le maximum de vos soixante-dix et quelques années en les vivant pleinement; en découvrant le plus de choses intéressantes possibles; en assumant des risques dans le but d'expérimenter certains plaisirs; en vous fixant des buts précis, en élaborant des plans réalistes et en travaillant à les atteindre.

Si vous désirez contribuer à rendre le monde un peu meilleur qu'au moment où vous y avez été introduit, c'est magnifique! Vous pouvez choisir de travailler à bâtir un monde ''meilleur'' ou "plus pacifique" ou "plus juste" dans lequel vous et les autres humains pourrez vivre heureux et d'une façon moins névrotique.

Mais vous feriez mieux de ne pas penser que travailler pour un monde plus humain équivaut à vous déprimer parce qu'il n'existe pas encore. Le monde actuel, dont nous avons hérité et que nous conservons, comporte beaucoup de caractéristiques déplaisantes, et beaucoup d'exploiteurs, de tyrans, de "psychopathes", et de "névrosés". Et il semble qu'ils y soient encore pour un bon moment.

De plus, à part l'état actuellement peu satisfaisant de ce monde, les humains ont de grandes imperfections. Ils agissent plus sottement, plus inefficacement et plus nerveusement qu'ils ne sont habituellement prêts à l'admettre. Ils prennent un temps considérable à désapprendre leurs mauvaises habitudes et à en apprendre de meilleures. Ils oublient facilement les choses. D'une façon peu appropriée, ils se rendent eux-mêmes soit hyperémotifs ou hypoémotifs. Ils souffrent d'innombrables maux et maladies. Souvent ils s'adonnent à des habitudes néfastes pour leur santé. Et ces limites humaines fondamentales semblent se perpétuer.

Adoptez donc une attitude réaliste. Vous n'êtes pas tenu d'*aimer* le monde, mais acceptez sa réalité. Si vous n'aimez pas certaines choses, efforcez-vous de les changer. Si vous ne pouvez pas les changer maintenant, cessez de gémir et gardez l'oeil ouvert vers l'avenir. Ne renoncez pas à vivre parce que la vie a ses déboires. Cessez d'*exiger* que tout aille bien.

Comme le faisait remarquer le philosophe Epictète il y a quelque deux mille ans, nous n'avons presque pas de contrôle sur les actes des autres. Pourquoi alors *devrions*-nous les contrôler?

Si vous vivez avec des "névrosés", soyez réaliste. Comme nous vous l'avons répété, n'escomptez pas qu'ils se conduisent autrement que d'une manière névrotique. Et ne vous répétez pas sans cesse que c'est terrible qu'ils agissent ainsi. Alors, vos amis "névrosés" se comportent d'une manière déloyale et injuste! Qui a décrété qu'ils *devaient* agir d'une manière loyale? Quelle loi de l'univers affirme que la justice *doit* exister? Vous n'êtes nullement tenu d'*aimer* leur comportement. Mais ne serait-il pas mieux, souvent, de l'"avaler" avec élégance?

Vous ne pouvez probablement pas contrôler les personnes perturbées mais vous *pouvez* contrôler vos propres réactions à leur égard. Non pas dans le sens d'éviter complètement de vous sentir ennuyé quand elles font des choses que vous avez en horreur. Mais vous pouvez travailler vos sentiments d'ennui et les amoindrir, les rendant plus supportables. Par exemple, vous pouvez prévoir un événement déplaisant et vous dire qu'il va probablement se produire. Vous pouvez ensuite vous demander jusqu'à quel point vous le trouvez déplaisant. Vous pouvez éliminer votre bouleversement à l'effet de vous sentir ennuyé. Ainsi, vous pouvez accepter le fait d'être frustré par les "névrosés" et que la frustration vous déplaît. De cette façon, vous pouvez réduire une bonne partie des ennuis que vous vous causez à vous-même. Vous pouvez diminuer au moins le surplus d'ennuis. Ne consacrez pas trop d'efforts à essayer de changer les "névrosés" qui vous ennuient. De préférence, changez votre attitude à leur égard.

Vous pouvez diminuer la plupart de vos ennuis en adoptant une attitude rationnelle et réaliste. La plupart de ces ennuis, une fois analysés, ne sont pas autre chose que de simples mots. Vous vous tourmentez parce que quelqu'un vous a insulté, ou vous a exprimé sa désapprobation. En fait, cependant, ces mots ou ces expressions ne peuvent blesser — comment un mot en lui-même peut-il blesser? — Mais vous pourrez l'être selon les attitudes que vous prendrez à leur égard. Si vous *croyez* qu'être insulté ou rejeté *est* néfaste ou horrible, cela le deviendra. Si vous commencez à penser différemment, en réalisant que de simples mots ou expressions ne peuvent blesser, vous serez moins vulnérable aux attaques verbales et pourrez supprimer une bonne part de votre chagrin.

Pour ce qui a trait aux autres catégories d'ennuis rencontrés dans la vie, les véritables ennuis physiques — tels que le pénible roulement de tambour à trois heures du matin ou la véritable douleur d'un coup sur la tête — vous pouvez les minimiser en adoptant des attitudes réalistes. Vous pouvez, d'une manière sensée, admettre que vous ne pouvez pas éviter toutes les douleurs physiques; que s'y attarder ne nous les fait ressentir qu'encore plus cruellement, que la douleur a certains avantages (elle aide à conserver la vie); et qu'après avoir pris les mesures pour les réduire, vous pouvez éviter d'exagérer le mal physique. Toute autre attitude ne vous conduira presque sûrement qu'à vous sentir encore plus mal.

De plus, vous pouvez souvent prendre des moyens pour prévenir les accès de la douleur physique. Si vous souffrez de maux de tête, vous pouvez consulter un médecin, en connaître la cause et faire quelque chose pour les éliminer. Si vous souffrez de blessures, vous pouvez les prévenir en vous tenant à l'écart des situations dangereuses.

Plus vous resterez équilibré et déterminé face à l'adversité, plus il vous sera possible de l'affronter et d'en prévenir la réapparition. Si vous êtes bouleversé à propos de vos maux de tête, il se pourrait que vous évitiez de consulter un médecin, de peur qu'il ne vous dise que vous souffrez de quelque maladie redoutable. Si vous vous fâchez exagérément contre quelqu'un qui vous a causé des blessures physiques, il se peut que vous n'évitiez pas cette personne mais qu'au contraire vous la poursuiviez, vous engagiez dans une guerre à mort avec elle, et de cette façon receviez encore plus de coups. Vous pouvez donc aggraver vos douleurs physiques si vous entretenez des pensées fausses et réagissez d'une manière inopportune.

Vous pouvez utiliser plusieurs méthodes intéressantes pour refuser avec ténacité de vous bouleverser vous-même à l'occasion de l'adversité. Par exemple, si vous trouvez que vous réagissez avec exagération face à un comportement névrotique, vous pouvez vous demander: "Qu'est-ce que cela peut vraiment faire? A cause de sa névrose, Jean ne cesse de me répéter des choses désagréables. Me blessent-elles *vraiment*? Ou n'est-ce pas plutôt que je leur permets de me blesser? Cessera-t-il de m'aimer parce qu'il me dit de telles choses? Tomberai-je mort d'une crise cardiaque si je l'entends les répéter? Le patron me chassera-t-il demain matin à cause de cela? Bien sûr que non! Pourquoi alors me troubler à propos de ce qu'il dit? Pourquoi donc accorder à ces paroles une importance qu'elles n'ont pas?"

En utilisant une autre approche, vous pourriez vous dire à vous-même: "Jean continue de me dire des choses déplaisantes. Mais après tout, pour mettre les choses au pire, que peut-il en résulter? Il ne m'aimera peut-être plus. Ou bien il peut amener les autres à me rejeter. Ou encore je peux perdre mon emploi en raison de ses déclarations. Ma vie entière serait-elle gâchée si l'une quelconque de ces choses se concrétisait? Et même si je me sens malheureux maintenant, quel effet ses paroles auront-elles dans dix ans? Aurai-je même le souvenir de cet incident? C'est peu probable. Pourquoi alors faudrait-il que je me trouble maintenant?"

Comme Epictète l'a démontré il y a bien des siècles, vous pouvez utiliser votre raison pour extirper presque tous les troubles émotifs. Mais si vous désirez utiliser cette philosophie rationnelle efficacement, vous auriez avantage à y croire. Vous dire à vous-même qu'un événement déplaisant a peu d'importance aujourd'hui et n'en aura pas non plus dans dix ans ne peut vous aider si, au fond, vous croyez le contraire. Simplement vous le redire n'est pas suffisant; vous seriez mieux de vous en convaincre entièrement. Et vous le pouvez. Car vous exagérez facilement l'importance de ce qui vous arrive. Si vous prenez en considération son importance réelle, il sera rare que vous vous troubliez sérieusement.

Vous pouvez, bien sûr, pousser à des extrêmes illogiques votre mise en question de l'importance des choses. Nous mourrons tous, et même si ce qui se passe aujourd'hui peut avoir peu ou pas de conséquence dans dix ou cent ans, on ne peut pas affirmer avec justesse que ce qui arrive aujourd'hui n'a *aucune* importance. Par exemple, si un ami névrosé vous casse la figure, vous aurez au moins une mâchoire endolorie. Ce qui peut vous sembler très important, même si ça ne l'est pour personne d'autre.

Ne vous dites donc pas que rien n'a d'importance et que vous ne devriez jamais vous sentir inquiet de rien. En effet, d'une manière typique, les "névrosés" sont convaincus qu'ils n'ont aucune importance et que par conséquent ce qui peut leur arriver n'importe pas. Pour des personnes saines, ce qui arrive *a* de l'importance. Mais pas trop!

Comme d'habitude vous pouvez résoudre le problème en utilisant un moyen terme aristotélicien entre deux extrêmes; par exemple, en adoptant une attitude philosophique vous permettant de vivre entre les extrêmes que constituent l'exagération d'une part et la minimisation d'autre part. N'exagérez pas l'importance des choses de manière à ce que votre vie en dépende. Mais, d'autre part, ne vous convainquez pas non plus que de toute manière rien n'a de l'importance. Utilisez tous les moyens pour trouver un sens à votre vie dans ces choses que vous aimez. Mais si vous ne pouvez pas les obtenir, ne croyez pas que ce soit la fin du monde. Vous pouvez trouver que c'est dommage de perdre ce que vous préférez, mais que ce n'est sûrement pas une catastrophe.

Soyez-en convaincu principalement quand vous vous occuperez des "névrosés". Ils agissent souvent de manière ennuyeuse, pénible, embêtante. Mais en vérité, le monde sera-t-il détruit à cause de ces actes névrotiques? Ou encore, n'êtes-vous pas porté à voir ces actes névrotiques pires qu'ils ne le sont en fait en exagérant leur importance?

Essayez de cesser de répéter le même refrain sur les tracas que causent les "névrosés" et essayez de les accepter avec leurs symptômes. Efforcez-vous de penser philosophiquement à propos des ennuis qu'ils causent. Vous pourrez mieux réussir à vivre avec des personnes perturbées en travaillant à améliorer la structure de votre propre personnalité. Pensez, à cet égard, au travail des thérapeutes professionnels qui apportent à la thérapie, non seulement leur formation et leur expérience, mais leurs ressources personnelles. Ils servent d'excellents modèles pour leurs clients et refusent de s'engager dans des relations malsaines avec eux, comme d'autres amis moins avertis l'ont fait antérieurement. Ils peuvent aider à redonner du courage, parce qu'ils sont si peu préoccupés de leurs propres problèmes qu'il leur reste suffisamment de temps et d'énergie pour se concentrer sur les problèmes des autres.

Les bons thérapeutes sont rarement perturbés par les bizarreries de leurs clients en dépit des ennuis qu'ils en reçoivent parfois. Ils acceptent les insultes, l'ingratitude et la condamnation et refusent de se bouleverser. Ils peuvent agir de la sorte en partie parce qu'ils pensent d'une façon rationnelle et s'acceptent eux-mêmes (aidés jusqu'à un certain point par leur propre formation et par la thérapie), et peuvent alors résister aux mauvais traitements et avoir le désir et l'habileté d'aider ceux qui les maltraitent ainsi.

En suivant l'exemple des psychothérapeutes, la meilleure façon de travailler avec des "névrosés" est d'examiner votre propre personnalité et de voir comment vous agissez. Plus votre comportement sera équilibré, plus grandes seront les probabilités que vous résistiez aux ennuis qui surviennent inévitablement dans une relation avec des individus perturbés.

Cela ne veut pas dire que vous pouvez simplement vous dire à vous-même: "Allons, il s'agit seulement de prendre courage et d'agir d'une manière non-névrotique toi-même pour pouvoir vivre avec assurance avec les "névrosés". De préférence, faites l'inventaire de vos propres traits et tendances, essayez de comprendre le plus possible tout ce qui regarde la névrose en général et vous-même, en particulier, et tentez de travailler à régler vos problèmes.

Pour effectuer un bon travail dans ce domaine, vous auriez peut-être avantage à suivre une psychothérapie. Autrement, vous pourriez avoir tendance à demeurer trop près de vous-même pour voir les choses d'une façon objective. Vous ne tenez pas compte de vos propres tendances névrotiques. Ou bien, quand vous les trouverez, vous serez enclin à rationaliser et à y travailler d'une manière vague et partielle. Non pas que l'auto-analyse n'ait aucune valeur. Comme le docteur Robert A. Harper et moi-même le démontrons dans le livre intitulé *A Guide to Rational Living,* vous pouvez y trouver beaucoup d'avantages. Mais pour une thérapie complète, vous aurez souvent avantage à demander l'aide d'un observateur étranger bien entraîné et compétent pour vous seconder dans l'exploration de vous-même et vous permettre de percevoir certains points que vous auriez tendance à tenir hors de votre conscience. Car ce sont autant vos pensées et vos sentiments inconscients que conscients qui alimentent votre comportement névrotique. Vous vous sentez souvent perturbé parce que vous avez honte d'envisager certains actes. (Vous croyez d'une façon irrationnelle qu'ils prouvent votre peu de valeur). Et parce que vous refusez de les envisager, vous ne pouvez pas facilement arriver à changer par vous-même ces moyens de défense inconscients.

Mais avec l'aide d'un psychothérapeute bien entraîné, vous pouvez découvrir vos pensées inconscientes et mieux vous comprendre vous-même. Alors vous pourrez démêler vos tendances névrotiques, y travailler et devenir plus apte à aider les autres.

Un dernier mot: dans notre société, les "névrosés" foisonnent d'une manière tragique. Et cette triste situation persiste en grande partie parce que les humains en général et notre culture en particulier insistent pour que nous devenions des champions, des étoiles, des millionnaires d'une part, et des anges, des demi-dieux et des saints d'autre part. Mais nous ne pouvons pas arriver à la sainteté et combattre comme des diables pour l'obtenir. Et quand nous nous blâmons et que nous nous condamnons de ne pas pouvoir atteindre en même temps le succès matériel et la sainteté, la névrose apparaît presque inévitablement.

Ainsi donc notre société actuelle favorise au moins une montée rapide des troubles émotionnels même si elle ne les produit pas entièrement. Par conséquent, vous continuerez à rencontrer bien des gens perturbés. Quand cela arrivera, souvenez-vous de ceci: les "névrosés" agissent d'une manière névrotique. Et vous feriez mieux de ne pas les blâmer d'être aux prises avec de tels problèmes. Ils se comportent d'une manière névrotique parce qu'ils adoptent des croyances irrationnelles qui les conduisent à de profonds sentiments d'insuffisance et d'hostilité. Ils auront tendance à se perturber davantage si vous ne tenez pas compte de leurs difficultés.

S'il *vous* est impossible d'apprendre et d'appliquer ces notions à propos de la névrose, vous auriez avan-

tage à soupçonner vos propres tendances "névrotiques". Si vous pouvez apprendre, comme c'est probablement le cas, à appliquer ces notions, vous pourrez
très bien vous faire à vous-même et aux autres beaucoup de bien.

Relèverez-vous ce grand défi?

Chapitre 7

Comment vivre avec vous-même, même si vous ne réussissez pas à aider un "névrosé"

Supposons que vous essayiez toutes les suggestions formulées dans ce livre — que vous travailliez vraiment et sincèrement à penser et agir conformément à ces suggestions — et que vous échouiez lamentablement. Les "névrosés" que vous tentez d'aider refusent d'écouter la sagesse de vos paroles. Ou bien ils écoutent mais ne sont pas du tout d'accord. Ou encore ils acceptent que ce que vous dites ou faites a du bon sens, mais ils refusent encore de suivre la voie moins névrotique et ils continuent à se comporter d'une façon odieuse. C'est-à-dire: ils vous traitent d'une manière injuste; ils se nuisent follement à eux-mêmes pendant que vous en subissez les conséquences; le plus sincèrement du monde ils vous promettent tout, et ils vous donnent la névrose!

Si la chose se produit, il est bien évident que vous serez désolé. Et frustré! Et très contrarié! Mais faudra-t-il — oui, le faudra-t-il? — que vous vous sentiez blessé? déprimé? fâché?

Peut-être pas. Vous appliquerez peut-être les choses que vous avez commencé à apprendre dans ce livre: comment les autres se perturbent eux-mêmes sur le plan émotionnel et comment il n'est nullement nécessaire qu'ils le fassent. Vous utiliserez peut-être les principes émotivo-rationnels sur vous-même et vous préviendrez chez-vous cette sorte de bouleversement.

Très bien! Mais supposons que vous ne le faites pas. Supposons plutôt que vous laissiez le comportement de vos parents et amis névrosés, et votre propre impuissance à les aider à changer leur comportement, vous démoraliser. Que ferez-vous alors?

Dans la première édition de ce livre, j'ai omis de discuter de cet important problème. Maintenant, avec l'expérience que j'ai acquise depuis comme thérapeute, je vois que la chose se produit souvent et trouve rarement une solution. Les "névrosés" évitent d'effectuer des changements, même s'ils entreprennent une thérapie et investissent énormément de temps et d'argent justement dans le but de se changer. Et les personnes qui tentent d'aider leurs amis perturbés, dans des millions de cas, abandonnent et brisent la relation intime avec eux: ils obtiennent un divorce, les mettent à la porte, ou refusent de les revoir même s'ils les connaissent depuis nombre d'années et même peut-être s'ils sont les auteurs de leurs jours.

Ces choses arrivent; donc elles peuvent vous arriver. Si cela se produit et que vous échouez, que vous abandonnez, et peut-être même que vous refusez d'avoir quelque chose de plus à voir avec les "névrosés", de quelle façon pourrez-vous vivre en harmonie avec vous-même, même si vous n'avez pas réussi à le faire avec eux? Résumons, pour vous aider dans ce domaine, quelques techniques fondamentales de la thérapie émotivo-rationnelle que vous pouvez utiliser vous-même si et quand cela se produit.

L' A B C de la sérénité. La psychothérapie émotivo-rationnelle (PER) enseigne aux gens une foule de choses, mais par-dessus tout, elle leur apprend à cesser de dramatiser. Supposons que vous agissiez dans ce sens après avoir échoué en travaillant avec votre mère, votre conjoint, votre enfant, ou votre ami névrosé. Au point C, les effets conséquents, vous vous sentez, disons, honteux et déprimé parce que vos efforts entrepris avec cet individu névrosé ont tristement échoué. Le point A (l'événement) consiste à vous rendre compte ou à admettre que vous avez échoué et que ce "névrosé" se conduit aussi mal ou même plus mal que jamais. Même si, immédiatement après avoir admis votre échec (au point A), vous vous sentez déprimé (au point C), et même si vous vous sentez déprimé quand vous pensez à votre échec, *ne concluez pas* que A *cause* ou même *conduit* directement à C.

Surveillez B: vos croyances! Demandez-vous d'abord: "Quelle croyance rationnelle (Br) ou idées sensées me suis-je répétées à moi-même à propos de A, et qui ont pu causer ma réaction en C?" Réponse: "Peut-être quelque chose comme: "Cà me déplaît d'échouer avec mon ami névrosé. J'aurais préféré agir autrement et avoir réussi. Comme c'est contrariant d'y avoir consacré autant de temps et d'effort et d'avoir obtenu de si piètres résultats! Quel ennui que cette personne ait pu me résister d'une façon si opiniâtre!"

Demandez-vous à nouveau: "Si je m'arrêtais à ces seules idées à propos de mon échec vis-à-vis de mon ami névrosé, comment me sentirais-je maintenant devant cet échec?" Réponse: "Peut-être déçu et ennuyé. Peut-être *très* déçu et ennuyé. Mais pas beaucoup plus que cela".

Attention maintenant: "Mais en toute honnêteté, mes sentiments, au point C, ne consistent pas uniquement en déception et ennui, ni même en grand mécontentement ou contrariété. Si je suis honnête, je me sens plutôt déprimé — et peut-être aussi assez fâché — à propos de ce qui s'est passé. Par conséquent, si la théorie PER évalue les choses correctement, il est probable que je me répète avec force et persistance quelques croyances particulièrement irrationnelles (Bi) ou des idées idiotes. Maintenant, à mon avis, quelles peuvent être ces croyances?"

Réponse: "Je trouve cela *terrible* d'avoir échoué! Je trouve *insupportable* d'avoir agi d'une façon si absurde avec mon ami névrosé et d'avoir échoué! J'aurais vraiment dû travailler avec plus d'intelligence et de persistance et réussir. Et puisque je n'ai pas fait ce que *j'aurais dû* faire, il est clair que je suis un raté sans aucune compétence".

Reconnaissez que ces croyances irrationnelles (Bi), et non le fait d'avoir échoué avec votre ami névrosé (A), ont créé vos sentiments de dépression et de honte (C). Procédez alors à confronter (D) ces croyances irrationnelles, de la façon suivante:

(1) "Qu'est-ce qui prouve que la vie devient *terrible*

parce que je subis un échec?" Réponse: "Absolument rien! D'abord, terrible veut dire premièrement très défavorable et véritablement inopportun, ce qui est certainement possible. Echouer avec ce "névrosé" ne m'apporte sûrement pas d'avantages ou de bénéfices appréciables! Et cela est de nature à perpétuer un état malheureux que je voudrais changer. Ainsi donc, cela semble désagréable. Mais terrible veut aussi dire qu'en plus d'être énormément défavorable, (a) mon échec est à 100% mauvais; (b) il est *plus* que totalement négatif, donc négatif au moins à 101% et (c) parce que c'est si négatif, cela ne *devrait* pas ou *n'aurait pas dû* exister. Même la premère assertion sonne faux (puisque les choses négatives à 100% n'existent à peu près pas dans l'univers); et la deuxième et la troisième assertions sont entièrement fantaisistes. Comment quelque chose peut-il devenir *plus* que ou *pire* que désagréable? Ca ne se peut pas!"

(2) "Quelle preuve ai-je que je ne peux pas *supporter* d'avoir agi aussi sottement à l'égard de mes amis névrosés et de n'avoir pas réussi à les aider?" Réponse: "Je n'en ai aucune preuve! Bien entendu, je n'*aimerai* jamais me comporter d'une manière absurde, si j'ai agi ainsi, et ne pas réussir à aider mes amis et mes parents névrosés. Mais il m'est possible de *supporter* ce que je n'aime pas! En fait, je peux supporter littéralement n'importe quoi qui puisse m'arriver, tant que je suis vivant. Même si quelqu'un me torturait jusqu'à la mort, je pourrais le *supporter,* bien sûr, jusqu'à ce que je sois littéralement mort. Ne pas réussir à aider un "névrosé" est loin d'être aussi pénible qu'être torturé. Il serait préférable que je cesse de penser insensément que je ne peux pas supporter les choses déplaisantes. Je le peux certainement!"

(3) "Comment puis-je prouver que j'*aurais dû* travailler d'une manière plus intelligente et tenace et que j'*aurais dû* réussir à aider les "névrosés" que j'ai tenté d'aider?" Réponse: "Je ne peux le prouver. L'énoncé: "J'aurais dû travailler d'une manière plus intelligente et tenace" signifie deux choses: (a) Il aurait été plus avantageux de travailler de cette façon, et (b) par conséquent, je *dois* travailler d'une manière plus intelligente. Quoique la première de ces assertions semble parfaitement sensée et démontrable, comment pourrais-je jamais faire la preuve de l'existence de l'obligation absolue contenue dans la seconde assertion? Je ne peux vraiment pas faire une telle preuve. En effet, si, parce que quelque chose a des avantages pour moi, j'étais obligé de bien le faire, la loi de l'univers me forcerait à bien faire les choses avantageuses. De toute évidence, cependant, je fais un bon nombre d'entre elles d'une piètre façon. Et en fait, aucun de ces "devoirs" absolus n'existe".

(4) "Qu'advient-il de ma proposition: Puisque je n'ai pas fait ce que j'*aurais dû* faire, je suis donc un raté, un parfait incompétent?" Réponse: "Eh! bien, de quoi s'agit-il? Evidemment cela n'a aucun sens. Tout d'abord, je viens tout juste de constater qu'il n'y a aucune raison justifiant pourquoi j'*aurais dû,* ou je *devrais* bien agir. Deuxièmement, comment une *personne* ratée pourrait-elle exister? Une personne ratée ne pourrait s'empêcher d'agir toujours et seulement d'une manière "ratée", ce qui semble à la fois invraisemblable et indémontrable. Et une telle personne dotée d'une *essence* de ratée jusqu'au coeur serait probablement damnée par quelque force omnipotente dans l'univers parce qu'elle est dotée de cette

essence. Mais est-il vraisemblable que quelque force surhumaine nous épie, remarque combien nous agissons quelquefois d'une manière absurde, conclue que nous sommes des ratés, et pour toujours nous condamne à la damnation éternelle? Hautement invraisemblable! Et absolument indémontrable. D'ailleurs, si je crois que je suis complètement incompétent parce que j'ai commis des erreurs en essayant d'aider mes amis névrosés, comment cette croyance pourrait-elle m'encourager à agir avec plus de compétence à l'avenir et me permettre d'aider davantage d'autres "névrosés" que je connais? Cela n'a pas d'autre résultat que de gâcher mes comportements ultérieurs!"

En utilisant l'ABC de la PER de cette façon, vous pouvez rapidement, presque en quelques minutes, détruire votre tendance à inventer des horreurs et adopter une nouvelle philosophie, comme résultat de votre confrontation (point E): "C'est vrai que je suis désolé de n'avoir pu aider cette personne en cette occasion. Peu importe le nombre d'échecs, je vais continuer à essayer: car échouer est sûrement *malheureux* mais jamais *horrible* ni *terrible,* et je peux toujours m'accepter moi-même avec mon comportement absurde et faire de mon mieux pour l'améliorer à l'avenir". Quand vous vous serez répété ces choses assez longtemps, vous tuerez dans l'oeuf votre tendance à inventer des horreurs.

L'imagination émotivo-rationnelle. Vous pouvez utiliser l'imagination émotivo-rationnelle (IER) créée par le docteur Maxie C. Maultsby, Jr., et adaptée par moi, de la façon suivante: quand vous avez échoué avec un ami névrosé et que vous êtes enclin par exemple à vous sentir déprimé et découragé à propos de votre échec, vous imaginez, avec le plus d'intensité possible, que cet événement se reproduit, et peut-être maintes et maintes fois. Ainsi, représentez-vous dans votre esprit que vous n'arrivez pas à aider, par exemple, votre employeur ou votre superviseur névrosé. Imaginez que cet homme reste aussi maboule que jamais: il vous engueule pour de petites erreurs, il a à votre égard des exigences idiotes, il refuse de vous accorder la rémunération que vous méritez vraiment, et il agit de la façon la plus désagréable en dépit de vos meilleurs efforts pour l'aider à voir plus clair et à se comporter d'une manière plus sensée. Au moment où vous imaginez ce sinistre tableau, laissez-vous honnêtement vous sentir déprimé et découragé.

Concentrez-vous alors sur vos sentiments intérieurs et faites-vous — oui faites-vous vous-même — vous sentir seulement désappointé et ennuyé. Pas fâché. Seulement désappointé et ennuyé. Ne vous croyez pas incapable de le faire, car vous le pouvez certainement. Vous avez un contrôle véritable sur vos sentiments, quels que soient les événements qui puissent arriver. Ainsi donc, faites-vous vous sentir réellement désappointé à propos du comportement absurde et désagréable de votre employeur ou de votre superviseur. Mais *pas* déprimé ni découragé.

Continuez jusqu'au moment ou vous réussirez, ne fut-ce que pour un instant. Arrivez au moins à avoir le sentiment passager d'un *simple* désappointement, d'un *simple* chagrin, d'un *simple* regret, d'un *simple* ennui. Dès que vous aurez acquis ce nouveau sentiment, observez la façon dont vous avez procédé pour le créer. Vous vous êtes probablement dit à vous-même, pour vous sentir uniquement attristé et désappointé: "Nous n'en sommes pas encore à la fin du monde! Il continue de m'engueuler pour des erreurs minimes. C'est bien dommage! Il fait des demandes injustes. Dommage encore! Je ne serai pas payé ce que je mérite vraiment! Re - re - dommage! Mais j'y survivrai. Je passerai à travers. Je peux encore me sentir suffisamment heureux et jouir d'une foule de choses dans la vie, même s'il me déplaira toujours de travailler avec lui. Maintenant, que puis-je faire pour rendre ma vie encore plus agréable!"

Remarquez ces choses que vous vous dites à vous-même. Remarquez votre nouvelle philosophie au moment où vous vous sentez seulement désappointé et non déprimé et découragé. Voyez avec clarté à quoi vous pouvez penser pour avoir des sentiments de regret et d'ennui mais non vous sentir vraiment troublé. Ensuite, pendant au moins dix minutes chaque jour, faites la même chose: imaginez-vous une des pires choses qui puissent arriver, comme par exemple que votre patron ou votre superviseur demeure très névrosé; et laissez-vous vraiment vous sentir malheureux à ce propos, mais ni déprimé, ni fâché, ni plein de haine pour vous-même. Exercez-vous chaque jour quelque dix minutes à vous sentir considérablement désappointé et ennuyé mais non pas déprimé et irrité. En d'autres termes, exercez-vous à vous débarrasser de vos *exigences* et remplacez-les par des *désirs*. Si vous réussissez à le faire au moins dix minutes chaque jour pendant plusieurs semaines, vous en viendrez à vous sentir spontanément et "automatiquement" troublé, mais troublé à juste titre si et quand votre patron ou votre superviseur vous traite vraiment d'une manière méchante et injuste.

Si vous faites vos exercices quotidiens d'imagination émotivo-rationnelle, tant mieux! Si vous ne les faites pas et si vous décidez de les faire mais ne les faites pas réellement (parce que vous trouvez cela non seulement difficile mais "trop" difficile), voyez quelles sont les bêtises que vous vous répétez et changez *ces* idées absurdes. Si la choses s'avère nécessaire, utilisez l'auto-contrôle ou le conditionnement actif pour vous forcer à le faire régulièrement: renforcez-vous vous-même en vous permettant des choses qui vous plaisent beaucoup (par exemple, manger, écouter de la musique, causer avec des amis ou lire, mais *uniquement* après avoir fait vos dix minutes d'exercice ce jour-là) et peut-être aussi pourrez-vous vous pénaliser avec quelque chose de particulièrement désagréable (par exemple, laver la vaisselle pendant une heure, brûler un billet de vingt dollars, communiquer avec quelqu'un avec qui il vous déplaît de causer, ou absorber des aliments qui vous déplaisent) chaque jour où vous n'aurez pas fait vos exercices.

La confrontation des croyances irrationnelles avec le réel. A l'*Institute for Advanced Study in Rational Psychotherapy* à New York, nous avons découvert qu'un des exercices avec lequel les personnes obtiennent les meilleurs résultats dans le but de s'aider à changer leurs idées fausses consiste à remettre en question leurs croyances irrationnelles. Vous pouvez utiliser cette méthode de la façon suivante:

Choisissez n'importe quelle croyance irrationnelle (Ci) dont vous désirez vous débarrasser et dont vous souhaitez cesser de subir l'influence, telle que celle-ci: "Je dois réussir à aider mon conjoint névrosé à agir d'une manière moins névrotique"; écrivez-là sur une feuille de papier ou enregistrez-là sur votre magnétophone et confrontez-là à l'aide des questions suivantes, faisant un effort pour penser soigneusement à chacune de ces questions dont vous écrivez ou enregistrez les réponses:

1) Quelle est la croyance irrationnelle que je veux remettre en question et abandonner?

Exemple de réponse: "Je dois réussir à aider mon conjoint névrosé à se comporter d'une manière moins névrotique".

2) Puis-je prouver que cette croyance soit vraie?

Exemple de réponse: "Non, je ne crois pas le pouvoir".

3) Quelle preuve existe-t-il que cette croyance soit fausse?

Exemple de réponse: "(a) Aucune loi de l'univers ne stipule qu'aucun névrosé dont je me suis occupé *doive* s'améliorer dans son comportement et se conduire d'une manière moins névrotique, bien que je souhaiterais beaucoup que la chose se produise.

(b) Si cette personne ne peut être aidée et continue

de se comporter d'une manière plus névrosée que jamais, cela apportera sûrement des contretemps et des ennuis à ma vie, et nuira à son propre bonheur. Mais, au pire, nos vies n'en seront pas plus que grandement gênées. Un inconvénient ne devient pas quelque chose d'horrible!

(c) Si mon conjoint continue de se comporter d'une manière extrêmement névrotique et rend notre vie commune très peu agréable à vivre, nous trouverons cela une fois de plus très incommodant. Mais il n'y a aucune preuve que ma vie et celle de mon conjoint *doivent* être autre chose que très pénibles.

(d) D'autres personnes vivent ensemble, l'une ou les deux se comportant d'une manière très névrotique et elles arrivent à s'entendre et même à vivre raisonnablement heureuses. Si certains peuvent y arriver, il n'y a pas de raison pour que mon conjoint et moi ne puissions en faire autant.

(e) Mon exigence que mon conjoint névrosé agisse d'une manière moins névrotique n'est pas autre chose qu'un "devoir" absolu; et en autant que je puisse le constater, il n'existe pas de tels absolus, ou tout au moins de preuve positive que de tels absolus existent dans l'univers. Si mon conjoint *devait* changer et agir d'une manière moins névrotique, alors il ou elle changerait automatiquement. Evidemment, rien de tel ne se produit.

(f) En dépit du fait que mon conjoint se comporte d'une manière névrotique et cela depuis fort longtemps, nous avons vécu des jours heureux ensemble, nous nous sommes beaucoup aimés, et nous nous entendons souvent. De toute évidence, par conséquent, il n'est pas indispensable que lui ou elle se comporte d'une manière moins névrotique pour que nous puissions rester ensemble et connaître un certain degré de bonheur.

(g) Je pourrais agir plus efficacement et être plus heureux moi-même si je pouvais aider mon conjoint à mieux se comporter. Mais rien ne prouve que je sois *tenu* de le faire, ni que je devienne un incompétent ou un raté si j'échoue. Cela prouve simplement que je suis faillible, ce qui de toute manière semble évident!"

4) Y-a-t-il quelque preuve de la véracité de cette croyance?

Exemple de réponse: "Il n'y en a pas que je puisse percevoir. Il y a beaucoup d'indications qui existent à l'effet que si j'arrivais à aider mon conjoint névrosé à agir d'une manière moins névrotique, nous obtiendrions tous deux de meilleurs résultats et une vie plus agréable. Mais cela ne prouve pas encore que l'un ou l'autre d'entre nous *doive* s'améliorer et obtenir ces résultats agréables. Peu importe combien une chose est avantageuse, cela ne signifie jamais que cela *doit se produire.* Le point fondamental que je peux prouver à propos de la névrose de mon conjoint et de mon aide envers lui ou elle s'exprime à peu près comme ceci: "Comme cela serait *souhaitable*"! et non pas: "Comme cela est *nécessaire*"! Je n'ai pas *besoin* de ce que je veux. A moins que je ne le croie d'une manière insensée!"

5) Quelles seraient les pires choses qui pourraient véritablement se produire si je n'obtenais pas ce que je crois devoir obtenir (ou si je recevais ce que je crois ne pas devoir recevoir)?

Exemple de réponse: "Si mon conjoint ne parvient pas à agir d'une manière moins névrotique et si j'échoue complètement à l'aider à le faire,

(a) Je ne recevrais pas toutes les satisfactions que j'aurais aimé obtenir de ma vie commune avec lui ou elle.

(b) Je subirais, comme lui ou elle d'ailleurs, un bon nombre de contretemps et d'ennuis supplémentaires.

(c) Nous pourrions décider qu'il ne vaut plus la peine de vivre ensemble et mettre un terme à notre vie commune.

(d) D'autres personnes, tels les membres de notre famille, pourraient souffrir ou être très incommodées en nous voyant vivre ensemble malheureux ou décider de nous séparer.

(e) D'autres personnes pourraient nous condamner et considérer que nous avons peu de valeur du fait que nous n'arrivons pas à bien nous entendre tous les deux ou encore me condamner du fait que je n'arrive pas à m'occuper adéquatement des troubles émotifs de mon conjoint et cela pourrait être vraiment ennuyeux et déplaisant.

(f) Je pourrais m'en aller et m'engager avec un

nouveau partenaire qui pourrait être aussi névrosé, peut-être même plus que mon compagnon actuel; et cela serait vraiment désagréable.

(g) De nombreux autres malheurs, des situations désagréables et des privations pourraient survenir, ou subsister dans ma vie. Mais je ne suis pas forcé de définir aucun d'eux comme *horrible, terrible* ou *insupportable.* A l'extrême, ils demeureraient des problèmes et des ennuis, mais jamais des *horreurs,* ni des *atrocités.* A moins que, d'une manière insensée, je ne les rende tels"!

6) Quelles bonnes choses pourrais-je provoquer si je n'obtenais pas ce que je crois devoir obtenir (ou si j'obtenais ce que je crois ne pas devoir obtenir)?

Exemple de réponse: "Je peux penser tout au moins à quelques bonnes choses qui pourraient se produire ou que je pourrais provoquer:

(a) Si je trouve impossible d'aider mon conjoint, je pourrais consacrer plus de temps et d'énergie et avoir beaucoup plus de plaisir à tenter d'aider d'autres personnes qui sauraient davantage répondre à mes efforts pour les aider, tels que mes enfants, mes amis et mes autres parents.

(b) Si, comme il semble improbable, je ne pouvais aider personne à vaincre sa névrose, je pourrais consacrer mon temps et mon énergie à beaucoup d'autres activités agréables. Je pourrais décider que je n'ai pas de disposition pour ce genre de travail, mais cela ne veut sûrement pas dire que je ne pourrais pas trouver d'autres intérêts dans ma vie.

(c) Mes *tentatives* d'aider mon conjoint ou d'autres dans leur comportement névrotique, même si elles n'aboutissent qu'à l'échec, peuvent tout de même être pour moi très intéressantes et agréables. Tenter d'atteindre un but, même si on n'y parvient jamais, peut être la source de beaucoup de plaisir dans la vie.

(d) Je pourrais trouver cela un défi exceptionnel et agréable de m'enseigner à moi-même comment vivre heureux — bien que peut-être pas aussi heureux qu'il se pourrait autrement — même si je n'arrive pas à aider mon conjoint à se comporter d'une manière moins névrotique. Après tout, je peux choisir comme but primordial de ma vie d'arriver à vivre assez bien dans ce monde difficile. Bien que je puisse souvent échouer à changer le monde, je peux toujours continuer à me changer moi-même, pour arriver à refuser avec ténacité de me sentir malheureux même quand ce monde continue d'être difficile. Ce genre de défi peut toujours me sembler vivifiant, si je cesse de gémir de façon infantile à propos des malheurs et des iniquités de l'univers"!

Une fois de plus, tout comme vous avez utilisé l'imagination émotivo-rationnelle, vous pouvez utiliser pendant au moins dix minutes chaque jour la méthode de confrontation de vos croyances irrationnelles, sur une période de plusieurs semaines consécutives. Choisissez une croyance irrationnelle importante, par exemple celle dont nous venons de parler (ou "Je dois bien faire toutes les choses importantes que je fais" ou "Les choses de la vie doivent être faciles et gratifiantes pour moi", ou tout autre philosophie nuisible) et remettez-la en question rigoureusement chaque jour (en n'oubliant pas les week-ends!) jusqu'à ce que vous commenciez à ébranler vos croyances premières et à vous comporter en fonction de vos nouvelles croyances. Une fois de plus, vous pouvez utiliser des méthodes d'auto-contrôle comme je l'ai expliqué dans la partie sur l'imagination émotivo-rationnelle afin de vous aider vraiment à consacrer ces dix minutes quotidiennes à confronter vos croyances irrationnelles avec le réel.

La méthode d'élargissement des définitions. L'imagination émotivo-rationnelle, comme je l'ai fait remarquer dans l'introduction de ce livre, résume en partie les principes de la sémantique générale créée par Alfred Korzybski. En effet, l'intuition fondamentale de la sémantique générale consiste dans le principe que les humains se livrent facilement et spontanément à la généralisation abusive et ont recours à de grandes abstractions en partie vides de sens, et qu'ils sont enclins à se détruire eux-mêmes et à se comporter d'une manière plutôt "insensée" (terme utilisé par Korzybski) à cause de cette sémantique déplorable. De nombreux auteurs dans le domaine de la sémantique générale, tel que Wendell Johnson, ont tenté d'appliquer ces enseignements dans le domaine des troubles émotifs, mais ils ont habituellement eu tendance à utiliser des techniques assez peu pratiques et (quelle ironie!) qui "sur-généralisent". La thérapie émotivo-rationnelle a utilisé depuis ses débuts des méthodes qui semblent plus efficaces et fécondes que d'autres méthodes sémantiques dans ce domaine.

Joseph Danysh, un sémanticien général convaincu, a inventé une méthode d'élargissement des définitions qui va au-delà d'autres techniques servant à aider les gens à vaincre quelques-unes de leurs habitudes auto-destructives, surtout celle de fumer. Je me suis basé quelque peu sur ses méthodes et je les ai appliquées à de nombreux autres types de troubles émotionnel. Si vous désirez les utiliser en regard de votre échec à aider un de vos amis névrosés, et de votre découragement issu de cet échec, vous pouvez procéder de la façon suivante:

Supposons, par exemple, que vous n'ayez absolument pas réussi à aider votre fils névrosé et que ce garçon continue de mal se comporter et s'empêtre inutilement dans toutes sortes de difficultés, dont certaines rendent votre vie pénible. Votre problème fondamental consiste à changer le sens ou la définition des mots *échec,* et *succès,* de telle manière que quand vous penserez à ces mots en regard du comportement névrotique de votre fils, vous vous sentirez, à juste titre, chagriné, triste, désolé, contrarié et ennuyé mais non pas horrifié, terrifié, fâché et plein de mépris pour vous-même.

Commencez avec le mot *échec* et demandez-vous à vous-même: "Qu'est-ce que je veux dire habituellement quand je pense à mon échec vis-à-vis de mon fils et quand je me sens horrifié et humilié à propos de cet échec?" Si vous vous posez honnêtement cette question, vous arriverez probablement à une réponse à peu près comme celle-ci: "Je veux dire (1) qu'il n'aura jamais de bonheur dans la vie; (2) je me sens le coeur serré; (3) il est horriblement injuste que mon fils agisse ainsi quand j'ai tellement travaillé à l'amener à mieux se conduire; (4) ma femme et moi-même sommes des misérables de n'avoir pas su mieux éduquer notre fils; (5) je suis un imbécile de n'avoir pas remarqué plus tôt le comportement perturbé de mon fils et de ne pas m'être efforcé davantage de l'aider à changer".

En d'autres termes, le sens que vous donnez à l'expression: "Je n'ai pas réussi à aider mon fils" tend à se composer de quelques idées et sentiments très négatifs, dont bon nombre sont déprimants et auto-destructifs. Presque automatiquement, à chaque fois que vous penserez à la perturbation de votre fils — ce que vous ne pourrez pas éviter en de multiples occasions quand vous serez témoin de son comportement ou quand vous l'imaginerez — votre emploi des termes "échec" et "névrose de mon fils" fera référence uniquement à ces idées et sentiments "effrayants". En agissant ainsi, sans vous en apercevoir, vous continuerez à vous *entraîner* à vous sentir déprimé, inquiet, et à vous auto-détester à cause de votre échec envers votre fils. Vous vous conditionnez continuellement à vous sentir ainsi par votre usage de définitions biaisées, fanatiques.

Le problème: vous amener à vous sentir autrement quand vous penserez exactement aux mêmes choses qui actuellement vous bouleversent. Prenez l'expression *échec à aider mon fils dans sa névrose* et réfléchissez-y, en la mettant entre guillemets, comme ceci: "échec à aider mon fils dans sa névrose". En mettant cette phrase entre guillemets, vous vous rappelez à vous-même, en tenant compte de principes généraux de la sémantique, que la phrase a *plusieurs* sens; en fait, toutes sortes de sens, en plus des sens "effrayants" que vous lui donnez. Vous les cherchez et, si vous le désirez, vous mettez par écrit quelques-uns de ces autres sens.

Par exemple, pour s'exprimer d'une façon objective, vous pouvez vous démontrer que "échec à aider mon fils dans sa névrose" signifie des choses comme: (1) remarquer qu'il se comporte d'une manière névrotique; (2) se sentir contrarié, pour lui et vous-même, de le voir se comporter de la sorte; (3) faire de son mieux pour lui montrer de quelle façon il se comporte; (4) essayer de lui enseigner comment il pourrait penser, se sentir et agir d'une manière différente; (5) l'aider en fait à changer quelque peu; (6) remarquer qu'il agit encore souvent d'une manière auto-destructive; (7) réaliser que bien d'autres fils, dont certains ont eu des parents sincères et travaillants, se comportent encore d'une manière très névrotique; (8) subir des ennuis, mais sûrement pas une catastrophe complète du fait que le fils continue d'avoir un piètre comportement; (9) constater que d'autres personnes, tels les amis de votre fils, arrivent à le tolérer, lui et sa névrose; etc...

D'ailleurs, vous pouvez activement chercher les définitions positives qui existent au sujet des troubles émotifs de votre fils et de "l'échec à aider mon fils dans sa névrose". De telles définitions positives pourraient inclure: (1) avoir vraiment fait tout mon possible dans ce cas en dépit des circonstances difficiles; (2) en essayant d'aider mon fils, avoir appris certaines données précieuses en ce qui a trait aux troubles émotifs des humains; (3) avoir acquis une plus grande intimité avec mon conjoint à l'occasion du problème sérieux de notre fils; (4) avoir découvert comment mieux aider mes autres amis et parents névrosés, par les enseignements obtenus en essayant d'aider mon fils; (5) avoir réussi à acquérir une bonne capacité d'acceptation de moi-même et du bonheur, en dépit de mon échec à l'égard de mon fils; (6) le défi intéressant amené par la difficulté d'aider mon fils à changer son comportement; etc...

Si à chaque fois que vous pensez à la phrase "échec à aider mon fils dans sa névrose" vous vous *imposez* — oui, vous vous forcez — de penser à toutes les définitions possibles pouvant se rattacher à cette phrase et non seulement aux définitions négatives et auto-destructrices qu'actuellement vous y attachez presque exclusivement, le sens profond de cette phrase changera pour vous et vous vous sentirez véritablement différent face à cette phrase. En fait, tel que justement indiqué par Danysh, après avoir persévéré dans ce sens pendant un certain temps, vous arrivez automatiquement et spontanément à vous sentir relativement chagriné, indifférent ou même (à certains moments) bien de votre échec envers votre fils plutôt que de vous sentir extrêmement horrifié de cet état de choses.

La théorie de Danysh — et les données que j'ai recueillies de la part de nombreuses personnes souffrant de troubles émotifs à qui j'ai enseigné à utiliser cette technique — tend à appuyer le principe primordial de la thérapie émotivo-rationnelle, à savoir: fondamentalement, vous vous sentez comme vous pensez, et si vous changez énergiquement votre pensée biaisée et irrationnelle à propos de quelque chose qui ne va pas bien dans votre vie, vous changerez vos sentiments névrotiques envers ces choses d'une façon marquée et parfois spectaculaire.

Toujours dans l'idée de cette technique, après vous être mis en tête tous les termes objectifs et positifs possibles concernant la phrase "échec à aider mon fils dans sa névrose" vous pouvez faire la même chose, si vous le trouvez souhaitable, pour toutes les phrases qui vous amènent à vous bouleverser à propos de cet échec. Par exemple, vous pouvez prendre la phrase "névrose de mon fils" et vous forcer à voir que cela ne veut pas dire uniquement "horrible perturbation", ou "la pire chose pouvant arriver à un humain", ou "excessivement injuste et affreux", ou "ma faute sans aucun doute", mais peut aussi avoir plusieurs significations objectives, telles que "comportement accompagné de certains résultats négatifs", "actes fréquents chez les humains", "sentiments venant d'idées irrationnelles", et "comportement malheureux qui résulte de l'hérédité et des influences du milieu". Du côté positif, vous pouvez vous forcer à reconnaître que la "névrose de mon fils" a comporté certains avantages, tels que "caractéristiques individuelles que certaines personnes trouvent charmantes", "handicaps intéressants qui donneront à mon fils de quoi s'occuper toute sa vie", "tendance créatrice que mon fils - et moi - pourrons utiliser dans le but d'apprendre, de croître et de nous développer".

Une fois de plus, en persistant à vous rappeler plusieurs ou pratiquement toutes les définitions ou les significations du terme "névrose de mon fils", vous pourrez en venir à un point où vous ne serez à peu près jamais vraiment enthousiasmé de le voir avec de telles caractéristiques mais où vous accepterez au moins qu'il puisse les avoir et cesserez de trouver horrible ce genre de désavantage ou de handicap. De la même façon, vous pouvez prendre n'importe quel mot ou phrase auxquels vous croyez fermement et qui vous causent continuellement des troubles émotifs, ou vous incitent à vous comporter d'une manière auto-destructrice, et vous pouvez leur attribuer beaucoup d'autres significations, croyances ou attitudes que vous pouvez légitimement − et quelquefois beaucoup plus légitimement − attribuer à ce même mot ou à ces mêmes phrases. En vous imposant vigoureusement à plusieurs reprises de vous référer à des significations plus objectives et plus agréables face à ce terme ou à cette phrase, vous pourrez les voir éventuellement d'une manière plus réaliste et moins magique. D'une certaine façon, vous connaîtrez avec plus de précision le *sens* de ce mot ou de cette phrase; et vous en *sentirez*, d'une manière inconsciente et semi-automatique, la signification plus juste et moins auto-destructrice. A ce propos, n'oubliez pas que les mots et les phrases n'ont aucune signification "vraie", "absolue", ou "sacrée". Les mots signifient ce que nous voulons, ils ont le sens que nous leur donnons. Et nous avons toujours la capacité d'en changer le *sens* même quand nous utilisons les mêmes mots ou les mêmes phrases. La sémantique générale et la thérapie émotivo-rationnelle énoncent et enseignent toutes les deux cette optique. Si vous utilisez les principes de la sémantique générale, par le fait même vous devenez sensé et plus rationnel, c'est-à-dire plus apte à accepter la vie avec sa réalité. De même avec la thérapie émotivo-rationnelle!

Les exercices "à la maison". La thérapie émotivo-rationnelle insiste sur les exercices de réflexion, d'émotion et d'action pour vous aider à changer vos tendances émotionnelles inefficaces et perturbées. Si vous vous sentez très déprimé ou abattu à propos du fait que vous avez tenté d'aider un "névrosé" et si vous désirez minimiser ou éliminer ce sentiment, vous pouvez imaginer divers exercices pour vous aider dans ce sens. Des exercices de réflexion pourraient inclure des techniques comme celle qui consiste à cesser de faire des catastrophes telles que je les ai expliquées dans ce chapitre. Des exercices d'émotion pourraient comprendre l'imagination émotivo-rationnelle.

Les exercices d'action pourraient inclure des activités comme: vous forcer délibérément à essayer d'aider un autre "névrosé", sans tenir compte de votre échec subi avec un ami intime que vous n'avez pas aidé; demeurer en contact avec un parent ou un ami "névrosé", au lieu de l'éviter complètement, de façon à pouvoir vous exercer à accepter le comportement perturbé de cette personne; accepter un emploi où vous vous rendez compte que votre patron ou votre superviseur vous traitera probablement d'une manière névrotique tout le temps que vous travaillerez avec lui ou elle; accepter un emploi de conseiller où vous devrez régulièrement avoir affaire à des personnes "névrosées"; affronter résolument une personne "névrosée" comme par exemple votre belle-mère perturbée plutôt que d'essayer d'éviter le problème et de ne pas laisser savoir que vous considérez son comportement comme peu approprié.

Vous pouvez aussi utiliser les principes de l'auto-contrôle pour vous aider à exécuter les exercices que vous vous imposez mais que vous n'exécutez pas véritablement. Ainsi, si vous décidez de continuer à travailler avec des névrosés, même si vous avez échoué récemment avec un ou plusieurs "névrosés", et que vous continuez à éviter de faire ce que vous aviez décidé, vous pouvez vous renforcer ou vous récompenser toutes les fois que vous ferez cet exercice et vous pénaliser énergiquement chaque fois que vous ne le faites pas. Bien entendu, vous pouvez aussi, en utilisant les principes émotivo-rationnels généraux, vous demander à vous-même, "Dans quel sens peut-il y avoir quelque chose de terrible à faire cet exercice?" et vous démontrer que vous ne pouvez faire la preuve que ce serait terrible ou horrible, mais simplement désagréable et malheureux, si vous faisiez l'exercice, et que probablement cela pourrait s'avérer encore plus désagréable si vous ne le faisiez pas.

En utilisant quelques-unes des techniques de la thérapie émotivo-rationnelle que je viens de décrire, aussi bien que celles décrites dans les livres intitulés *A New Guide to Rational Living* et *Humanistic Psychotherapy: The Rational-Emotive Approach,* et d'autres écrits, vous pouvez vous accepter vous-même sans réserve avec votre échec à aider n'importe quel "névrosé" que vous avez pu tenter d'aider. Vous pouvez cesser de vous dévaloriser, peu importe votre piètre performance et peu importe ce que les autres pourront penser de votre compétence. Vous pouvez finalement, si vous le faites souvent et avec suffisamment de vigueur, en venir à un point où d'une façon automatique et spontanée vous aimerez ou détesterez ce que vous *faites,* sans pour autant vous aimer ou vous détester *vous-même* de l'avoir fait.

Si vous le faites, vous vous sentirez plus apte que jamais à aider les "névrosés" et cela leur servira, en fait, d'excellent modèle. Une fois de plus, la névrose découle en grande partie de la manie de se créer des obligations, du fait que l'individu qui souffre de troubles émotifs croit fermement (1) "Je *dois* bien agir et être approuvé, autrement je suis une personne sans valeur", (2) "Vous *devez* agir à mon égard avec considération et justice, autrement vous êtes des misérables" et (3) "Le monde *doit* me pourvoir de tout ce que je veux rapidement et facilement, autrement cela est terrible et horrible!" Si vous abandonnez — et je veux dire si vous abandonnez des milliers de fois — vos propres obligations irrationnelles, ce qui comprend "Je *dois* aider mes amis névrosés, autrement je suis un bon à rien" vous aurez plus de facilité à encourager et à amener les "névrosés" à abandonner leurs propres obligations.

Laissez-moi vous demander une fois de plus: Relèverez-vous ce grand défi?

Lectures choisies

Vous ferez bien de considérer avec beaucoup de prudence les oeuvres des auteurs contemporains dans les domaines de la théorie de la personnalité, de la psychologie clinique, de la psychanalyse et de la psychiatrie. Ces oeuvres sont souvent loin d'une connaissance vraiment scientifiquement démontrée.

De plus, le domaine de la psychothérapie tend à se fractionner en de nombreuses écoles qui chacune croit savoir ce qui rend les humains "névrosés" et ce qu'il convient de faire pour les guérir. Malheureusement, ces diverses écoles tombent rarement d'accord sur certaines questions importantes et ont tendance à se contredire l'une l'autre.

Essayez donc d'utiliser les écrits psychologiques modernes avec un certain scepticisme et de les considérer surtout comme des brillantes hypothèses qui ne sont pas encore appuyées par des preuves indiscutables. Continuez à chercher des preuves de ces assertions en lisant et en réfléchissant.

Ceci dit, j'espère que les lecteurs de ce livre prendront toutes les théories psychologiques avec de nombreux grains de sel et s'efforceront de réfléchir avant d'accorder leur allégeance à aucune d'elles.

OUVRAGES PARUS AUX ÉDITIONS

cim

La personne

COMMUNICATION ET ÉPANOUISSEMENT PERSONNEL
Lucien Auger (1972) *Éditions de l'Homme — Éditions du CIM*

J'AIME
Yves Saint-Arnaud (1978) *Éditions de l'Homme — Éditions du CIM*

L'AMOUR
Lucien Auger (1979) *Éditions de l'Homme — Éditions du CIM*

LA PERSONNE HUMAINE
Yves Saint-Arnaud (1974) *Éditions de l'Homme — Éditions du CIM*

S'AIDER SOI-MÊME
Lucien Auger (1974) *Éditions de l'Homme — Éditions du CIM*

SE CONNAÎTRE SOI-MÊME: CRISE D'IDENTITÉ
DE L'ADULTE
Gérard Artaud (1978) *Éditions de l'Homme — Éditions du CIM*

UNE THÉORIE DU CHANGEMENT DE LA
PERSONNALITÉ
Gendlin (Roussel) (1975) *Éditions du CIM*

VAINCRE SES PEURS
Lucien Auger (1977) *Éditions de l'Homme — Éditions du CIM*

SE COMPRENDRE SOI-MÊME
Collaboration (1979) *Éditions de l'Homme — Éditions du CIM*

LA PREMIÈRE IMPRESSION
Chris L. Kleinke (1979) *Éditions de l'Homme — Éditions du CIM*

S'AFFIRMER ET COMMUNIQUER
Jean-Marie Boisvert et Madeleine Beaudry (1979) *Éditions de l'Homme — Éditions du CIM*

ÊTRE SOI-MÊME
Dorothy Corkille Briggs (1979) *Éditions de l'Homme — Éditions du CIM*

VIVRE AVEC SA TÊTE OU AVEC SON COEUR
Lucien Auger (1979) *Éditions de l'Homme — Éditions du CIM*

COMMENT DÉBORDER D'ÉNERGIE
Jean-Paul Simard (1980) *Éditions de l'Homme — Éditions du CIM*

LA COMMUNICATION DANS LE COUPLE
Luc Granger (1980) *Éditions de l'Homme — Éditions du CIM*

SAVOIR RELAXER POUR COMBATTRE LE STRESS
Dr Edmund Jacobson (1980) *Éditions de l'Homme — Éditions du CIM*

S'AIMER POUR LA VIE
Dr Zev Wanderer et Erika Fabian (1980) *Éditions de l'Homme — Éditions du CIM*

S'AIDER SOI-MÊME DAVANTAGE
Lucien Auger (1980) *Éditions de l'Homme — Éditions du CIM*

COMMENT AVOIR DES ENFANTS HEUREUX
Jacob Azerrad (1980) *Éditions de l'Homme — Éditions du CIM*

PENSER HEUREUX
Lucien Auger (1981) *Éditions de l'Homme — Éditions du CIM*

L'ENFANT UNIQUE
Ellen Peck (1981) *Éditions de l'Homme — Éditions du CIM*

VIVRE JEUNE
Myra Waldo (1981) *Éditions de l'Homme — Éditions du CIM*

SE CONCENTRER POUR ÊTRE HEUREUX
Jean-Paul Simard (1981) *Éditions de l'Homme — Éditions du CIM*

AVOIR UN ENFANT APRÈS 35 ANS
Isabelle Robert (1981) *Éditions de l'Homme — Éditions du CIM*

LE COURAGE DE VIVRE
Docteur Ari Kiev (1981) *Éditions de l'Homme — Éditions du CIM*

SE CRÉER PAR LA GESTALT
Joseph Zinker (1981) *Éditions de l'Homme — Éditions du CIM*

LA PSYCHOLOGIE DE L'AMOUR ROMANTIQUE
Docteur Nathaniel Branden (1981) *Éditions de l'Homme — Éditions du CIM*

LA SEXUALITÉ DYNAMIQUE
Dr Paul E. Lefort (1981) *Éditions de l'Homme — Éditions du CIM*

LES FANTASMES CRÉATEURS
Jerome L. Singer et Ellen Switzer (1981) *Éditions de l'Homme — Éditions du CIM*

LE COEUR À L'OUVRAGE
Gérald Lefebvre (1981) *Éditions de l'Homme — Éditions du CIM*

SE CHANGER
Michael J. Mahoney (1982) *Éditions de l'Homme — Éditions du CIM*

SE CONTRÔLER PAR LE BIOFEEDBACK
Paultre Ligondé (1982) *Éditions de l'Homme — Éditions du CIM*

TROUVER LA PAIX EN SOI ET AVEC LES AUTRES
Dr Theodore Isaac Rubin (1982) *Éditions de l'Homme — Éditions du CIM*

S'ENTRAIDER
Jacques Limoges (1982) *Éditions de l'Homme — Éditions du CIM*

FRÈRES — SOEURS
Dr John F. McDermott, Jr (1982) *Éditions de l'Homme — Éditions du CIM*

PARLE-MOI... J'AI DES CHOSES À TE DIRE
Jacques Salomé (1982) *Éditions de l'Homme — Éditions du CIM*

SE GUÉRIR DE LA SOTTISE
Lucien Auger (1982) *Éditions de l'Homme — Éditions du CIM*

L'AUTO-DÉVELOPPEMENT
Jean Garneau, Michelle Larivey (1983) *Éditions de l'Homme —
Éditions du CIM*

ÉLEVER DES ENFANTS SANS PERDRE LA BOULE
Lucien Auger (1983) *Éditions de l'Homme — Éditions du CIM*

Groupes et organisations

DYNAMIQUE DES GROUPES
Aubry et Saint-Arnaud (1975) *Éditions de l'Homme — Éditions du
CIM*

ESSAI SUR LES FONDEMENTS PSYCHOLOGIQUES
DE LA COMMUNAUTÉ
Yves Saint-Arnaud (1970) *Éditions du CIM* — épuisé

L'EXPÉRIENCE DES RETRAITES EN DIALOGUE
Louis Fèvre (1974) *Desclée de Brouwer — Éditions du CIM*

LE GROUPE OPTIMAL I: MODÈLE DESCRIPTIF
DE LA VIE EN GROUPE
Yves Saint-Arnaud (1972) *Éditions du CIM* — épuisé

LE GROUPE OPTIMAL II: THÉORIE PROVISOIRE
DU GROUPE OPTIMAL
Yves Saint-Arnaud (1972) *Éditions du CIM* — épuisé

LE GROUPE OPTIMAL III: SA SITUATION DANS
L'ENSEMBLE DES RECHERCHES
Rolland-Bruno Tremblay (1974) *Éditions du CIM*

LE GROUPE OPTIMAL IV: GRILLES D'ANALYSE
THÉORIQUES ET PRATIQUES DU GROUPE RESTREINT
Yves Saint-Arnaud (1976) *Éditions du CIM* — épuisé

LES PETITS GROUPES: PARTICIPATION ET
COMMUNICATION
Yves Saint-Arnaud (1978) *Les Presses de l'Université de Montréal
— Éditions du CIM*

SAVOIR ORGANISER, SAVOIR DÉCIDER
Gérald Lefebvre (1975) *Éditions de l'Homme — Éditions du CIM*

STRUCTURE DE L'ENTREPRISE
ET CAPACITÉ D'INNOVATION
André-Jean Rigny (1973) *Éditions hommes et techniques*

LA PSYCHOLOGIE: MODÈLE SYSTÉMIQUE
Yves Saint-Arnaud (1979) *Les Presses de l'Université de Montréal
— Éditions du CIM*

*Lithographié au Canada
sur les presses de
Métropole Litho Inc.*

Ouvrages parus aux
ÉDITIONS DE L'HOMME

sans * pour l'Amérique du Nord seulement
* pour l'Europe et l'Amérique du Nord
** pour l'Europe seulement

ALIMENTATION — SANTÉ

Allergies, Les, Dr Pierre Delorme
* Cellulite, La, Dr Jean-Paul Ostiguy
Conseils de mon médecin de famille, Les, Dr Maurice Lauzon
Contrôler votre poids, Dr Jean-Paul Ostiguy
Diététique dans la vie quotidienne, La, Louise Lambert-Lagacé
Face-lifting par l'exercice, Le, Senta Maria Rungé
* Guérir ses maux de dos, Dr Hamilton Hall

* Maigrir en santé, Denyse Hunter
* Maigrir, un nouveau régime de vie, Edwin Bayrd
Massage, Le, Byron Scott
Médecine esthétique, La, Dr Guylaine Lanctôt
* Régime pour maigrir, Marie-Josée Beaudoin
* Sport-santé et nutrition, Dr Jean-Paul Ostiguy
* Vivre jeune, Myra Waldo

ART CULINAIRE

Agneau, L', Jehane Benoit
Art d'apprêter les restes, L', Suzanne Lapointe
* Art de la cuisine chinoise, L', Stella Chan
Art de la table, L', Marguerite du Coffre
Boîte à lunch, La, Louise Lambert-Lagacé
Bonne table, La, Juliette Huot
Brasserie la Mère Clavet vous présente ses recettes, La, Léo Godon
Canapés et amuse-gueule
101 omelettes, Claude Marycette
Confitures, Les, Misette Godard
* Congélation des aliments, La, Suzanne Lapointe
* Conserves, Les, Soeur Berthe
* Cuisine au wok, La, Charmaine Solomon
Cuisine chinoise, La, Lizette Gervais
Cuisine de Maman Lapointe, La, Suzanne Lapointe
Cuisine de Pol Martin, La, Pol Martin
Cuisine des 4 saisons, La, Hélène Durand-LaRoche

* Cuisine du monde entier, La, Jehane Benoit
Cuisine en fête, La, Juliette Lassonde
Cuisine facile aux micro-ondes, Pauline Saint-Amour
* Cuisine micro-ondes, La, Jehane Benoit
Desserts diététiques, Claude Poliquin
Du potager à la table, Paul Pouliot, Pol Martin
En cuisinant de 5 à 6, Juliette Huot
* Faire son pain soi-même, Janice Murray Gill
* Fèves, haricots et autres légumineuses, Tess Mallos
Fondue et barbecue
* Fondues et flambées de Maman Lapointe, S. et L. Lapointe
Fruits, Les, John Goode
Gastronomie au Québec, La, Abel Benquet
Grande cuisine au Pernod, La, Suzanne Lapointe
Grillades, Les
* Guide complet du barman, Le, Jacques Normand
Hors-d'oeuvre, salades et buffets froids, Louis Dubois

DOCUMENTS — BIOGRAPHIES

Provencher, le dernier des coureurs de bois, Paul Provencher
Réal Caouette, Marcel Huguet
Révolte contre le monde moderne, Julius Evola
Struma, Le, Michel Solomon
Temps des fêtes au Québec, Le, Raymond Montpetit
Terrorisme québécois, Le, Dr Gustave Morf

* Treizième chandelle, La, T. Lobsang Rampa
Troisième voie, La, Me Emile Colas
Trois vies de Pearson, Les, J.-M. Poliquin, J.R. Beal
Trudeau, le paradoxe, Anthony Westell
Vizzini, Sal Vizzini
Vrai visage de Duplessis, Le, Pierre Laporte

ENCYCLOPÉDIES

Encyclopédie de la chasse au Québec, Bernard Leiffet
Encyclopédie de la maison québécoise, M. Lessard, H. Marquis
* Encyclopédie de la santé de l'enfant, L', Richard I. Feinbloom
Encyclopédie des antiquités du Québec, M. Lessard, H. Marquis

Encyclopédie des oiseaux du Québec, W. Earl Godfrey
Encyclopédie du jardinier horticulteur, W.H. Perron
Encyclopédie du Québec, vol. I, Louis Landry
Encyclopédie du Québec, vol. II, Louis Landry

ENFANCE ET MATERNITÉ

* Aider son enfant en maternelle et en 1ère année, Louise Pedneault-Pontbriand
* Aider votre enfant à lire et à écrire, Louise Doyon-Richard
Avoir un enfant après 35 ans, Isabelle Robert
* Comment avoir des enfants heureux, Jacob Azerrad
Comment amuser nos enfants, Louis Stanké
* Comment nourrir son enfant, Louise Lambert-Lagacé
* Découvrez votre enfant par ses jeux, Didier Calvet
Des enfants découvrent l'agriculture, Didier Calvet
* Développement psychomoteur du bébé, Le, Didier Calvet
* Douze premiers mois de mon enfant, Les, Frank Caplan
Droits des futurs parents, Les, Valmai Howe Elkins
* En attendant notre enfant, Yvette Pratte-Marchessault
Enfant unique, L', Ellen Peck
* Éveillez votre enfant par des contes, Didier Calvet

* Exercices et jeux pour enfants, Trude Sekely
Femme enceinte, La, Dr Robert A. Bradley
Futur père, Yvette Pratte-Marchessault
* Jouons avec les lettres, Louise Doyon-Richard
* Langage de votre enfant, Le, Claude Langevin
Maman et son nouveau-né, La, Trude Sekely
Merveilleuse histoire de la naissance, Dr Lionel Gendron
Pour bébé, le sein ou le biberon, Yvette Pratte-Marchessault
Pour vous future maman, Trude Sekely
* Préparez votre enfant à l'école, Louise Doyon-Richard
* Psychologie de l'enfant, La, Françoise Cholette-Pérusse
* Tout se joue avant la maternelle, Isuba Mansuka
* Trois premières années de mon enfant, Les, Dr Burton L. White
* Une naissance apprivoisée, Edith Fournier, Michel Moreau

LANGUE

Améliorez votre français, Jacques Laurin

* Anglais par la méthode choc, L', Jean-Louis Morgan

3

Corrigeons nos anglicismes, Jacques Laurin
* J'apprends l'anglais, G. Silicani et J. Grisé-Allard
Notre français et ses pièges, Jacques Laurin

Petit dictionnaire du joual au français, Augustin Turennes
Verbes, Les, Jacques Laurin

LITTÉRATURE

Adieu Québec, André Bruneau
Allocutaire, L', Gilbert Langlois
Arrivants, Les, collaboration
Berger, Les, Marcel Cabay-Marin
Bigaouette, Raymond Lévesque
Carnivores, Les, François Moreau
Carré St-Louis, Jean-Jules Richard
Centre-ville, Jean-Jules Richard
Chez les termites, Madeleine Ouellette-Michalska
Commettants de Caridad, Les, Yves Thériault
Danka, Marcel Godin
Débarque, La, Raymond Plante
Domaine Cassaubon, Le, Gilbert Langlois
Doux mal, Le, Andrée Maillet
D'un mur à l'autre, Paul-André Bibeau
Emprise, L', Gaétan Brulotte
Engrenage, L', Claudine Numainville
En hommage aux araignées, Esther Rochon
Faites de beaux rêves, Jacques Poulin
Fuite immobile, La, Gilles Archambault

J'parle tout seul quand Jean Narrache, Émile Coderre
Jeu des saisons, Le, Madeleine Ouellette-Michalska
Marche des grands cocus, La, Roger Fournier
Monde aime mieux..., Le, Clémence Desrochers
Mourir en automne, Claude DeCotret
N'Tsuk, Yves Thériault
Neuf jours de haine, Jean-Jules Richard
New medea, Monique Bosco
Outaragasipi, L', Claude Jasmin
Petite fleur du Vietnam, La, Clément Gaumont
Pièges, Jean-Jules Richard
Porte silence, Paul-André Bibeau
Requiem pour un père, François Moreau
Si tu savais..., Georges Dor
Tête blanche, Marie-Claire Blais
Trou, Le, Sylvain Chapdeleine
Visages de l'enfance, Les, Dominique Blondeau

LIVRES PRATIQUES — LOISIRS

Améliorons notre bridge, Charles A. Durand
* Art du dressage de défense et d'attaque, L', Gilles Chartier
* Art du pliage du papier, L', Robert Harbin
* Baladi, Le, Micheline d'Astous
* Ballet-jazz, Le, Allen Dow et Mike Michaelson
* Belles danses, Les, Allen Dow et Mike Michaelson
Bien nourrir son chat, Christian d'Orangeville
Bien nourrir son chien, Christian d'Orangeville
Bonnes idées de maman Lapointe, Les, Lucette Lapointe
* Bridge, Le, Vivianne Beaulieu
Budget, Le, en collaboration
Choix de carrières, T. I, Guy Milot
Choix de carrières, T. II, Guy Milot

Choix de carrières, T. III, Guy Milot
Collectionner les timbres, Yves Taschereau
Comment acheter et vendre sa maison, Lucile Brisebois
Comment rédiger son curriculum vitae, Julie Brazeau
Comment tirer le maximum d'une mini-calculatrice, Henry Mullish
Conseils aux inventeurs, Raymond-A. Robic
Construire sa maison en bois rustique, D. Mann et R. Skinulis
Crochet jacquard, Le, Brigitte Thérien
Cuir, Le, L. St-Hilaire, W. Vogt
* Découvrir son ordinateur personnel, François Faguy
Dentelle, La, Andrée-Anne de Sève
Dentelle II, La, Andrée-Anne de Sève
Dictionnaire des affaires, Le, Wilfrid Lebel

PHOTOGRAPHIE

PLANTES ET JARDINAGE

PSYCHOLOGIE

SEXOLOGIE

SPORTS

7

Imprimé au Canada/Printed in Canada

2

8